Cielos de barro

Novela

Dulce Chacón
Cielos de barro

Premio Azorín de la Diputación de Alicante 2000

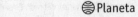

© Dulce Chacón, 2000
© Editorial Planeta, S. A., 2005
  Avinguda Diagonal, 662, 6.ª planta. 08034 Barcelona (España)

Diseño de la cubierta: adaptación del diseño original de Silvia Antem y Helena
Rosa-Trias
Ilustración de la cubierta: foto © Josep M. Casals i Ariet
Fotografía de la autora: foto © Chicho
Primera edición en Colección Booket: junio de 2001
Segunda edición: octubre de 2001
Tercera edición: diciembre de 2003
Cuarta edición: febrero de 2004
Quinta edición: junio de 2004
Sexta edición: noviembre de 2004
Séptima edición: mayo de 2005

Depósito legal: B. 24.449-2005
ISBN: 84-08-03962-8
Impresión y encuadernación: Liberdúplex, S. L.
Printed in Spain - Impreso en España

Biografía

Dulce Chacón nació en Zafra (Badajoz) en 1954.
En 1992 publicó su primer libro de poemas, *Querrán
ponerle nombre*, al que siguieron *Las palabras
de la piedra* (1993) y *Matar al ángel* (1999).
Fue galardonada con el Premio de Poesía Ciudad
de Irún 1995 por *Contra el desprestigio de la altura*.
Es autora de las novelas *Algún amor que no mate*,
Háblame musa de aquel varón (que con *Blanca vuela
mañana* constituyen una trilogía sobre la huida),
Cielos de barro (Premio Azorín de novela 2000)
y *La voz dormida*. En 1998 se estrenó su primera
obra de teatro, *Segunda mano*, y en 2002 la versión
teatral de *Algún amor que no mate*.
Dulce Chacón falleció en diciembre de 2003.

A mi padre, que escribió La consulta médica.
Y a Zafra, por la añoranza, y por la música
de las palabras recuperadas
en el ejercicio de la memoria

PRIMERA PARTE

Vino de noche. Dijo que regresaba para morir. Traía la muerte en los ojos, ¿sabe usted? Pero no la de esos pobres desgraciados que están en el depósito. No. Traía en los ojos la propia muerte, la suya, la de él. Llamó a mi puerta y me preguntó por su madre. Fui yo quien le dije que había muerto, y a mí me dijo él que venía para morir. Yo no he visto una tristeza más negra. Nunca, no señor. Se pasó la mano por la cara como si quisiera limpiársela. Me miró, volvió a lavarse la cara sin agua, me miró otra vez y me preguntó por su padre. Muerto, hijo, muerto. ¿Murieron bien? Y yo le contesté que sí, que santamente se murieron, uno detrás de otro, y los dos preguntando por él. Llevaba cuarenta años perdido, me dijo como pidiendo perdón por una ausencia tan larga. Pobrecino, si era un zagal cuando se lo llevaron, si lo hubiera visto usted, lástima de criatura; cómo lloraba, las lágrimas se le iban yendo igual que la cera derretida se le cae a las velas.

Sí escribió, claro que escribió, muchas veces, muchas. Mi difunta esposa le leía las cartas a su madre, y ella después se las contaba a su padre. «Queridísimo padre, amadísima madre: Me alegrará que a la llegada de ésta se encuentren bien. Yo quedo bien gracias a Dios.» Las últimas que llegaron las empezó siempre igual. Y terminaba de la misma manera: «De éste, su amantísimo hijo que lo es.» Hasta en la letra se le notaba que se había ido del pueblo, de tan fina. La Isidora venía toda contenta corriendo con el sobre en la mano: Es de la capital, me ha dicho el Zacarías que es de la capital. La Isidora era su madre. ¿Usted conoció a la Isidora?

¿No?

Claro, claro. Sí que es usted nuevo por aquí. No la pudo conocer. Y al Modesto, el marido, menos.

Porque la carta la mandaba su hijo, por eso corría toda contenta. El Zacarías es el cartero, ¿sabe usted? Ya no trabaja. Pero hasta hace bien poquito, aún andaba para arriba y para abajo con la saca al hombro. Voceando.

¿Tampoco? Entonces quiere decirse que han pasado ya más de tres meses desde que se retiró, recontra que el tiempo es humo.

Pues era digno de verse. A la Isidora le gritaba ya desde el recodo para verla más rato contenta. Ella salía a la puerta en cuanto escuchaba su nombre, con esa estampa que daba gloria, de lozana. Y con la sonrisa a medio poner.

Aunque no recibía más cartas que las de su hijo, pero hasta que no las abría no dejaba de barruntar, como nunca traían remite. Y no las abría hasta que no encontraba a mi Catalina, y es que le daba más pena ver la letra de su hijo y no saber qué decía, que no ver la letra de su hijo. Mi difunta se las leía varias veces, porque la Isidora no tenía luces para entender las palabras cuando vienen ordenadas, y la pobre mujer lloraba: Por lo que dice la carta, queda bien mi hijo, ¿verdad, Catalina? Y aunque el hijo le hubiera escrito que estaba encamado con cuarenta de calentura, la Nina le decía que estaba bien, porque la Isidora prefería no enterarse de eso. Y corría a contárselo al padre y después volvía a correr a mi casa para que mi Catalina le escribiera al hijo lo que el Modesto le encargaba a ella que le contara. Mi difunta se sentaba a la mesa camilla y la Isidora se quedaba de pie detrás de ella, bien arrimada; le plantaba las manos en los hombros y la miraba escribir, sacando la puntina de la lengua, igual que lo hacía mi difunta. Daba penita de verla. Clavaba los ojos en las palabras, con una ansia, como si en cada letra quisiera mandarle un mundo a su hijo. Ni una se perdía, ni una. Yo estaba siempre ahí al lado, dale que te pego al pedal para levantar el barro. Sabrá usted que entonces los tiempos no eran automáticos, qué va. En mi oficio se precisaba también de las piernas, no como ahora, que le das a un botón y el torno se echa a dar vueltas.

Ahí, ¿ve usted esa cortina?

Pues ahí mismito, al filo de esa cortina trabajaba yo. Y más de un cántaro tuve que repetir, que el alma se me hacía pedazos de la congoja de oír las cartas que se cruzaban el hijo y la madre. Y el barro no quiere cuentas con almas partidas; completas las quiere, para disponer de lo que le corresponde y sacar el alma entera y propia que lleva dentro.

11

Como yo le diga. Se resquebraja antes de secarse, y la poquita alma que le hayan puesto se escapa por las grietas.

«Manda padre que te portes como Dios manda, hijo, que los señores nos van a ayudar con la siembra», cosas así le dictaba la Isidora a mi Catalina. «Manda padre que te diga que este año no hay un real para la simiente y que el señorito le ha prometido dárselo a fiado.» «Manda padre que no vengas al pueblo, que si la señora te necesita allí es de ley que te quedes. Y manda que te diga que la miseria es grande y que es de preferir que tú no la veas, para que no sea más grande su miseria.» Cosas así. Y el muchacho fue creciendo y se fue quedando en la capital. Y un buen día, dejó de escribir.

Todavía no puedo creerme que les haya pegado un tiro. Santo Dios. ¿Y dice usted que la señorita Aurora está bien?

¿En casa de su tío está?

¿Sin daño?

Bendita sea la Santísima Virgen.

No, señor comisario, yo escopeta no le vi que trajera. ¿No le ha preguntado al Tomás, el porquero? Tuvo que pasar frente a su casa camino del cortijo.

De «Los Negrales», sí. Así lo llaman ellos, nosotros lo llamamos sólo el cortijo.

De aquí se fue rondando las nueve, y luego depués ya no lo he vuelto a ver. Le ofrecí aquel jergón junto a la lumbre, hasta que mi nieto vuelva del pastoreo han de pasar tres días lo menos, pero no quiso quedarse a dormir. Se tomó un tazón de caldo, y las migas con sardina ni las tocó. Mire, en el mismo plato las guardé para aprovecharlas hoy en la cena, ni las tocó. Se sentó allí, lo mismito que de chico, cuando mi difunta le enseñaba a leer y a escribir. Porque la única que sabía leer y escribir por aquel entonces era ella, ¿sabe usted? La única, en toda la aparcería.

No, hombre, eso de la escuela no se estilaba para nosotros. Le enseñó la señorita Eulalia cuando entró a servir en el cortijo. La señorita Eulalia, una hermana de la señora, que se salió de monja pero andaba todo el día rezando y en golpes de pecho. No, ahora que lo pienso, Eulalia no se llamaba. Eulalia se lo puso para entrar al convento. Pero ahora mismo no me viene cómo se llamaba de civil.

Cómo no va a importar, si cuando le enseñó a mi santa a reconocer las palabras se llamaba otra vez con su nombre verdadero, el que le pusieron en la pila. Importa, y mucho.

Lleva usted razón, cuando no lo busque, me vendrá. Así juega la memoria con los viejos, al escondite.

Total, que la señorita que iba para monja fue la que instruyó a mi Catalina. La misma que se llevó a la Felisa, de eso sí que me acuerdo.

Se llevó con ella a la mujer que la crió.

Al convento.

La Nina se arrebataba. Decía que la gente principal comete muchos desbarajustes, mira que llevarse a la criada al convento. Por ahí dicen que la señorita se enredó con el médico que la curó de una tuberculosis, ya próxima la guerra. Malas lenguas, y dos veces afiladas, porque

13

en realidad no se curó nunca. Yo creo que ésa es otra que vino para morirse. Pero antes de morirse, la señorita Aurora le enseñó a mi Catalina a leer y a escribir. Aurora. Ya he caído. Si para encontrar, no hay como dejar de buscar. Aurora se llamaba la señorita que iba para monja, que por eso cristianaron luego a la sobrina con ese nombre. Once años tenía la parienta cuando entró a servir en aquella casa y empezó a saberse las letras. Once años tenía, y ya lavaba las sábanas mejor que su madre.

Sí, sí, el hijo de la Isidora estuvo aquí un rato largo. Las primeras veces que se sentó en ese poyete ni siquiera le llegaban los pies al suelo; y hoy parecía que estuviera agachado, las rodillas le pasaban la cabeza cuando acercaba la boca al tazón de sopa. Con ese abrigo tan oscuro parecía una sombra doblada. El abrigo no quiso ni quitárselo.

Era un abrigo muy oscuro, de tan oscuro casi negro, pero no era negro.

Y los pantalones, oscuros también, sí, señor, igualito que el tizón venía por dentro y por fuera.

No, señor comisario, maleta yo no le vi ninguna, con las manos en los bolsillos entró, y con las manos en los bolsillos se fue. Y bien heladas que las trajo, que me dio una palmada en la cara después de preguntarme si no lo reconocía. Pero se las debió de llevar calientes, porque agarró a conciencia el tazón entre las palmas; lo movía como quien amasa la harina, y se pasaba el borde por los labios tal que si lo besara.

Me figuro que vino a mí porque encontró su casa hecha un erial, y no sabría para dónde ir, y porque se acordaría de que las primeras palabras que escribió fueron su nombre y el mío. Él solito los escribió, la Nina sólo le dijo las letras que tenía que poner y él las fue juntando. ¿Ya no se acuerda de mí, señor Antonio?, me preguntó cuando le abrí la puerta de mi casa. Yo me lo quedé mirando fijo, con cara de pajarino espantado, y entonces me palmeó los carrillos muy afectuoso. Siempre fue un zalamero, por eso me extraña lo que refiere usted que ha pasado. «La señora Catalina, que es quien me escribe esta carta, te manda recuerdos, hijo, y el señor Antonio, que está a nuestra vera, dice que te diga que no olvides nunca su nombre», me soltó sin pensarlo el hijo de la Isidora. «Y yo, que soy la Catalina, y sin que tu madre me lo diga, te digo a ti que no le escribas tantos padecimientos, que con los de aquí ya tiene bastantes», y: «Señora Catalina: hágame el favor de leerle a mi señora madre todo lo que escribo, que la conozco, y sé que por ahorrarle penas le va a ahorrar usted muchas palabras.» Y claro que lo reconocí. Me eché a sus brazos y lo empujé para adentro. Después de enterarse de lo de sus padres, me preguntó por la Nina. Siempre he llegado demasiado temprano, me sentenció, o demasiado tarde, cuando le conté que hacía dos meses ya que era una alma de Dios.

Estaría bueno, señor comisario. ¿Cómo le iba a leer a esa madre todo lo que el pobre zagal le escribía? Pero si no le pasaban más que infortunios. La parienta me lo contaba a mí, porque a alguien tenía que contárselo, pero a ella no se lo leía, no señor. ¿Quiere usted una sopita caliente?

Y arrímese a la lumbre, que está la tarde que congela al diablo.

Pues porque los señores no tenían hijos, por eso, y nada más que por eso se lo llevaron. Y no crea usted que estaban todos conformes, no, ni mucho menos. Doña Victoria se encaprichó de él nada más nacer. Le pidió a la madre que se lo regalara, y la madre se lo negó como es natural. La verdad es que la Isidora no fue muy avispada, porque servía en el cortijo y se llevaba al niño con ella para darle gusto a su señora. Y ya lo creo que le daba gusto, se lo encaramaba en brazos en cuanto llegaban, y no lo soltaba hasta que la Isidora se lo pedía para irse. Y pasaron los años, pero el capricho a la señora no se le pasó, qué va. Mi difunta decía que los antojos que doña Victoria no cumplía se le enquistaban de rabia. Y así le debió de pasar con éste. Ya le digo que la Isidora no tuvo ojos para esa avería. Y ha de pasar un perjuicio si no están los ojos para lo que tienen que estar, por fuerza.

¿Que qué pasó? Pues que dejó de llevárselo al cortijo. La señora no paró en mientes, y empezó por echarle en la cara a la Isidora que ella no tenía posibles para educar al crío. Pero la madre ya le había pedido a mi Catalina que le enseñara a leer y a escribir, y si la Nina había aprendido sin posibles todo lo que sabía, el niño también podía aprender sin posibles. Y pasó que la señora le dijo al señorito que se mudaba a la capital y que si no le conseguía a la criatura, se olvidara para siempre de ella. Así que se lo dijo, que lo escuchó mi difunta cuando acababa de restregar un mantel en la panera del patio de atrás.

16

La señora tiene en una mano las perras y en la otra le pone el marido todo lo que ella le pide. Ya lo creo que se salió con la suya. Nadie supo nunca lo que el señorito le dijo al Modesto. Nadie. Nunca. Pero un mal día, el padre le mandó a la madre que aviara a su hijo con la ropa de domingo, y se lo llevó al cortijo.

Muy sencillo, porque para ir a la capital había que pasar por la casa de la Isidora y nosotros estábamos allí, por eso lo vimos llorar. En el coche grande se lo llevaron, y cuando llegó junto por junto de la puerta, la Nina y yo agarramos a la Isidora para que no se tirara para afuera. El Modesto se sentó en cuanto que empezó a oírse el motor, y se quedó mirando al fogón con los ojos bajados. Nada más que la Isidora se puso a dar gritos, él se levantó, la miró, y no tuvo que decir palabra. La pobre mujer se soltó de nosotros, dejó de chillar, y fue ella la que se sentó al fogón con los ojos bajados. Mi difunta me hizo un quite para que nos fuéramos. Y cuando salimos, nos topamos de bruces con el coche. Iba despacio, muy despacio. La Nina y yo nos percatamos de que el Lorenzo, el chófer, rumiaba una tristeza que no quiso enseñarnos. Volvió la cara un momento hacia la puerta de la Isidora, pero un momento nada más, una pizca. El quebranto se le notaba en la espalda, ¿sabe usted?, porque no iba tieso, como era su costumbre. Y pudimos ver al señorito, sentado muy serio a la vera del Lorenzo, y a la señora en la parte de atrás, que nos miraba toda contenta con el niño en lo alto las piernas, y al niño llorando.

La señora quedó preñada por tres veces, sí, de los tres hijos que le vinieron, una hembra y dos varones. Y se le pasó el capricho del niño de la Isidora, pero no se lo devolvió. Por soberbia, porfiaba mi difunta que no se lo devolvió. Por soberbia.

¿Y quién dice usted que estaba?

Qué raro.

Ya le he dicho que la casa está en baldío, ¿cómo va usted a encontrarla?

Porque el señorito mandó tumbar los ladrillos que el Modesto levantó cuando su casamiento.

Quedaba a un tiro de piedra del portón del cortijo, el que tiene un arco bien hermoso pintado de albero, en la entrada principal, donde empiezan los álamos que hacen sombra al camino hasta la casa del medio.

En cuanto el Modesto entregó su alma, y al poco, de sola y de triste, le siguió la Isidora sin rechistar, como había hecho siempre en vida, la echaron abajo. Y eso que el hermano del Tomás, el porquero, se la pidió en arriendo para su hijo, que lo tenía recogido en el chamizo con toda su gente, y ya se lo había llenado con cuatro nietos, y el quinto a punto de caer, y no se apañaban porque la suegra y la nuera pendenciaban a destajo. Pero no se la dio.

No sé por qué no se la dio. En vez de eso, el señorito mandó al Tomás y al hermano que derrumbaran la casa. Yo dije que estaba malo. Allí no queda nada, señor comisario. Un puro barbecho. Se me figura a mí que los señores tendrán también sus entrañas, y no les será de gusto ver lo que no quieren ver, que hasta el huertino que plantó la Isidora lo arrancaron de cuajo.

¿Sabe usted?, en la vida he hablado yo de esta manera con nadie de su condición.

Verídico. Y una charla como la de ahora, ninguna desde que mi santa pasó a mejor vida.

Sí, verídico. Así dice mi Paco cuando viene del monte y le pregunto si hacía frío en la choza. Verídico, me dice, se arrebuja en el jergón y ya no hay más nieto.

No, hasta dentro de tres días lo menos no baja del monte, ya se lo he dicho antes. ¿Quiere otro caldito? Yo no sé a usted, pero a mí este relente me deja los huesos lo mismo que si fueran carámbanos que me enfrían desde mis adentros.

Como se lo estoy contando. La única vez que yo he cruzado palabra con la autoridad fue cuando el Tomás denunció a mi nieto. Se fue al cuartelillo sin avisarnos siquiera. Bueno está que cada uno busque lo suyo, yo no digo que no lo buscara, pero podía haber preguntado antes. Aunque ya se sabe que cuando hay hambre en casa, la amistad se queda en los estómagos de umbral para adentro, y ese año al Tomás se le echaron a perder la mitad de los guarros de la piara. Y entonces tenía muchos estómagos reclamando, como ahora. Pero hambre teníamos todos.

Todos, señor comisario. Por aquí se ha pasado siempre mucha necesidad. Por descontado que nosotros también. A mi difunta le crujían los nudillos de las manos en cuanto las metía en la lavaza, y los sabañones se le reventaban tal que si fueran tomates, amén de que las espaldas se le habían quedado como el asa de un cántaro, ¿sabe usted?, de tanto encorvarse. Y a la señora le daba fatiga sólo de pensarlo. Así que le encargó al señorito que le diera mil duros, porque doña Victoria ya no venía por aquí, y que le dijera que estaba mayor para esa faena. La Nina, que además de santa era muy suya, y más brava que un jabalí acorralado, le porfió con toda la razón de su parte: Qué espera que haga yo con mil duros. Toda la vida llovida para esto. Y se lo soltó con ese temperamento que le salía de las bilis algunas veces. Pocas, la verdad, pero eran de temer. Y no la llamaron ni para blanquear como le tenían prometido. Cuando se acercaba la calor, le mandaron razón con la nuera del Tomás: que les daba miedo que trajinara con la escalera, que se podía caer y darles un disgusto.

Y la última vez que le dieron cal a aquellas paredes, no fue mi santa quien se la dio. Ni siquiera le dejaron matarla, con el donaire que tenía la Nina con el palo.

Matar la cal.

Porque la cal viene viva, y hay que matarla con agua.

Casi la vida entera había servido en aquella casa. Todos los días menos las fiestas de guardar. Y en verano, algunas fechas feriadas también, que venía el señorito con los niños y se cargaba mi santa con todos porque doña Victoria se quedaba en la capital. Anda que no se los ha traído veces por la tarde. Yo los dejaba enredar con el barro y ella les preparaba un refresco, con agua y vinagre y azúcar, y unas gotinas de limón. O les hacía un cucurucho con las pipas que la Nina secaba al sol, las de los melones, que a ella le gustaban mucho, y a los señoritos también. Les tenía mucha ley a aquellos tres, por eso le dolió más el pago. Si no hubiera sido porque allí me dejé de analfabeta, decía, el culo me limpiaba yo, con perdón de la palabra, señor comisario, me limpiaba yo con este billete, que no es de recibo el trato para tantas veces que les lavé yo el suyo cuando chicos. Pero lo aprovechó bien, compró chacina que nos duró casi casi diez meses, era muy apañada mi difunta, y unos pollos de corral que se le murieron allá para el mes de febrero del año siguiente. Justo al tiempo que yo tuve que quitarme del oficio, porque en invierno el barro está muy frío y mis manos ya no me respondían, por la reuma, que la tengo muy mala, ¿sabe usted?, malísima. Y al poco, apareció el Tomás con los guardiñas.

Sí, claro que lo prendieron. Y el consultamiento que le hicieron antes no lo hubiera querido ver nadie con los calzoncillos nuevos; le preguntaron en un momento lo menos catorce cosas, sin dejar quietas las manos en una sola. Y se lo llevaron preso por haber confiscado un guarro de la pocilga del Tomás. Ya ve, señor comisario, qué íbamos a hacer nosotros con un guarrino tan chico, si no daba ni para matanza, si los jamones habrían salido más menguados que muslos de alondra. Pero el Tomás le pidió a los municipales que entraran a revisar en mi casa. Y entraron, no vea si entraron. Pero no como usted, que antes me ha pedido permiso.

No ande con apuros, si para mañana tengo más. Desde que mi santa me dejó, soy yo el que prepara el puchero, con su miajina de todo. Mire, así lo aviaba ella, ¿lo ve? Se cuece lento y se tiene ahí todo el día, arrimado lo justo a la candela para que no se turre lo de abajo. Beba lo que haga menester, que cuando el frío arrecia, no hay brasero que valga.

Por mí no se incomode, puede quedarse todo el tiempo que quiera.

Rediós que he tenido suerte con que no tenga usted prisa. Porque ya habrá visto que a mí hablar no me cuesta. Lo que me cuesta es encontrar al que no ande apresurado, y poca gente viene, la verdad. Sólo el Tomás el porquero, desde aquello, se acerca de vez en vez a traernos un cacho tocino fresco, pero quitándolo a él, nadie.

No, señor. Nadie.

¿Y a qué han de dejarse venir hasta aquí?, del cortijo no se llega ninguno. Amén de que hace mucho que no paran por arriba.

Los años, entregados están. Y el pan que nos ganamos nos lo hemos comido hace tiempo. Lo mismo pasa con el afecto. Dice usted que tiene que quedar, así será si usted lo dice, pero yo no entro en más honduras.

Sí, señor, si yo no le digo que no, afecto sí que había, que cuando mi hija se nos acabó en el parto, la señora se encargó de que le mandaran a la Nina un vestido casi nuevo para la mortaja. Un vestido celeste con lunaritos blancos. Había que verla, más guapa que en todos los días de su vida se fue para la tumba. Parecía una virgen, oiga usted. Y cuando lo del señorito Agustín, los de aquí abajo fuimos todos andando al convento detrás de los coches del cortejo, que hasta allí los llevan a ellos a darles sepultura. A ése tampoco lo ha podido conocer usted, al señorito Agustín.

Iba en la moto a todo meter y se saltó el cruce, el que sale para la estación, justo donde estaba la casa de la Isidora. La casa en sí pillaba para el costado de las chumberas, y el señorito se pegó el trastazo en el camino que

22

sale de ahí mismo. Por esas fechas no andaba usted por aquí, y ahora sí que no me fallan los cálculos.

Fue muy sonado en toda la comarca.

Sí, ése. El mediano de doña Victoria. ¿Quién se lo ha contado?

La Juana, ¿quién había de ser?, con tantos excuseteos, se sabe milagro y vida de quien ande por bajo de su baranda. Y si no se lo sabe, pregunta al que se lo sepa.

Mire usted, a gente tan charlantina es de preferir no darles conversación, que ellas solas se hacen su programa y van con los líos de aquello y de esto, y de tal y de cual.

Me perdonará la franqueza, señor comisario, pero a la Juana se le va el día en su balcón. Y más de una vez se la ha visto alargar el pescuezo, sin mijina de recato, para alcanzar a alguno que se le hubiera pasado de largo sin que ella se percatara de cómo iba y venía o dejaba de ir o venir. Y por mucho que le haya preguntado usted por esa familia, lo del señorito Agustín queda a una hartura de lejos para que le haya contado de él sin ser alcahueta. ¿Es, o no es?

Es.

Es. Efectivamente.

Mujer, y de las que quieren controlar. Primero, lo saben todo; después sueltan lo que les da la real gana; y de últimas, se callan lo que les conviene. Y, de fijo, lo que se quedan es lo que les vale para seguir controlando.

No, hombre de Dios, usted no. Ni yo tampoco, no vayamos a confundirnos de rasero, lo que le estoy refiriendo del señorito Agustín viene al hilo de lo que usted me va preguntando acerca del hijo de la Isidora. Pero si no precisa saberlo, no se lo cuento.

Entonces, le cuento que a mi difunta se le metió en la sesera que era cosa de arriba, que si les hubieran devuelto el hijo a la Isidora, capaz que el señorito Agustín les vivía otros veinte años, cuando menos. Y que la justicia es la justicia. Y que le tocaba penar a doña Victoria, que no tenía perdón de Dios por no haber sentido ni tan así de culpa, ni siquiera cuando mandó derrumbar la casa que levantó el Modesto con sus manos propias, que la mandó tumbar para olvidarse de ellos, a sabiendas de que estaba mal hecho, y le había salido por la culata. Decía que tanto disparate no era de ley que quedara sin castigo, y que no sentir la culpa es un pecado muy grande, y al que no la siente no le dan perdón porque nunca lo pide. Mira si hay Dios arriba, Antonio, que a cada cual le manda su propio pañuelo para limpiarse, me porfiaba, porque yo no soy muy creído. Y no era con maldad que lo decía, que mi Catalina era una santa, que ahí sentada donde usted, la he visto llorar a mares por ese inocente. Pero cuando a la Nina le daba por sus trece, no había quien la sacara. Y en la mitad del lloro, se sonaba, se guardaba el moquero en el canalillo del escote, se acercaba a mí sin levantarse, me miraba muy fijo, y me lamentaba: «Primero la culpa, después el perdón y, luego, que el olvido llegue cuando tenga que llegar. Y solo, sin que nadie lo ayude.» A lo mejor, yo no digo que no. Aunque a mí me parece que el olvido es el único que limpia las culpas.

El perdón sólo distrae por un rato las conciencias.

Sea como sea, los señores, si quisieron limpiarse por dentro, lo hicieron remalamente, porque ni el olvido se hace a la fuerza ni ellos han venido nunca a pedir perdón.

Porque doña Victoria, desde entonces, no ha vuelto al cortijo, y don Leandro, contadas las veces. Me parece a mí que sólo una vez volvió él, con la hija. Por eso me extraña que estuvieran allí.

Sus pezones escondidos surgieron bajo la tela de su camisón cuando él los rozó al reconocerla, menudos, erectos, peligrosos como un volcán. Ella se ruborizó, y la madre superiora apartó la mirada. Quién hubiera podido evitar estremecerse ante el candor de la joven enferma. Su rubor provocó en el médico una ternura inquietante. Cómo impedir que sus dedos volvieran a rozar levemente su pecho; cómo ignorar su tibia erupción. El rubor de la novicia aumentaba, y también el desconcierto del médico, que retiró el fonendoscopio y dejó de auscultarla.

Nadie le dijo su nombre. Él se dirigió a ella llamándola hermana.

—Tosa, hermana.

La hermana se acercó un pañuelo a la boca. Tosió, y escondió el pañuelo. El médico sospechó que manchaba al toser y la enferma se lo confirmó antes de que él preguntara.

—Es sólo un poquito de sangre, doctor.

—Enséñemela, hermana.

La fiebre daba un brillo desmesurado a sus ojos y el

miedo los mantenía fijos, oscuros y húmedos, en los ojos del médico. Él la arropó sin dejar de mirarla, mientras la madre superiora se aferraba al crucifijo de un rosario que colgaba de su cintura y ella apretaba su pañuelo bajo el colchón.

—Enséñeme ese pañuelo.

Una mujer enlutada, que no se había apartado de la cabecera de la enferma, dejó de enredarse en los dedos los flecos de su mantón y le arrebató el pañuelo a la novicia.

—Mírelo, señor doctor. Hace cuatro días que escupe sangre.

La visita al convento se convirtió para el médico en el momento más esperado de la jornada. Todas las tardes, a excepción de los domingos, llegaba a la clausura a las seis en punto, y la hermana portera le entregaba una campanilla que debía atarse en uno de sus tobillos para que las religiosas se ocultaran a su paso. El médico reprimía el deseo de sonreír al hacer sonar su campanilla, mientras imaginaba el vuelo de los hábitos blancos, las novicias apresuradas buscando rincones donde esconderse, algunas de ellas, quizá, sucumbiendo al temblor de mirar, a la tentación de ver sin ser vistas. Nunca descubrió a ninguna, pero las adivinaba agazapadas después de su carrera, escudriñándolo desde las celosías.

La madre superiora le esperaba en el claustro y le acompañaba a la celda de la enferma. Sólo cuando se acercaban al último pasillo que debían recorrer, el médico comenzaba a avergonzarse de la música diminuta que tañía su tobillo izquierdo; y al llegar a la habitación de la novicia, desataba su campanita y la guardaba a hurtadillas en el bolsillo del chaleco, en tanto la superiora llamaba con los nudillos a la puerta y la empujaba al mismo tiempo.

—Ha venido el médico a verte.

La novicia se incorporaba y cubría sus hombros con una mañanita de algodón.

—¿Estás preparada?

—Sí, madre.

Y cruzaba los brazos sobre el pecho.

Él la observaba desde fuera, mientras esperaba a que le dieran permiso para entrar.

—Pase, don Andrés.

—¿Se puede?

—Adelante.

—¿Cómo se encuentra hoy?

—Mejor.

—Ahora vamos a ver si sus pulmones dicen lo mismo, hermana.

El azoramiento de la novicia se fue convirtiendo poco a poco en un placer que la joven no reconocía. El médico sí. El médico descubrió los gestos sensuales que adornaban su ingenuidad cuando la novicia abrió su mañanita de algodón y se apartó el pelo de la frente, antes de retirar hacia los hombros el escapulario que reposaba en su pecho; y supo en ese instante que sólo para él retiraba el escapulario, y sólo para él apartaba el mechón de su frente. Desvió la mirada de los ojos brillantes de la enferma y, sin haberla auscultado, se dirigió a la mujer enlutada.

—Me ha dicho la madre Amparo que es usted quien la cuida.

—Sí, señor, desde que era una niña endeble.

—¿Le ha puesto el termómetro?

—Sí, señor, y está en calentura. Ni de día ni de noche la deja en paz, por muchos pañinos fríos que yo le ponga.

—¿Cómo se llama usted?

—Felisa, para servirle.

—Dígame, Felisa, ¿cómo van las manchas del pañuelo?

—Ya el pañuelo no da a basto, ahora le tengo que arrimar la palangana, que son borbotones de sangre.

—¿Y es sangre roja?

—Roja es, y limpia, señor doctor, como si la niña tuviera una vena abierta en la garganta.

El médico recomendó el ingreso inmediato de la enferma en un hospital. Y la enferma le miró negando con la cabeza. Una súplica silenciosa que aprovechó la madre superiora para decir que ella no podía tomar esa decisión.

—Doctor, no podemos sacarla de aquí si no habla usted antes con sus padres, los señores de Albuera. Su madre, doña Carmen, es una Paredes Soler.

La mirada de la novicia seguía clavada en sus ojos; el médico lo notó en el súbito deseo de volver a mirarla.

¿Qué le dije yo antes, que volvió, o que no volvió?

¿Y usted cómo sabe que el hijo de la Isidora volvió para mi casa después del jaleo?

Sí que es usted espabilado, señor comisario. Y la Juana, si se traga la lengua se empacha con los chismes que seguirá largando, reconcentra.

Pues una mentirijina se le escapa a cualquiera. Sí que volvió. Ahora le doy por cierto que volvió. Y me dejó en las entrañas más agujeros de los que tengo en los codos de la zambra. ¿Sabe usted qué me dijo?

Si vienen preguntando, señor Antonio, diga usted que yo no he sido. Que yo no he sido, señor Antonio. Pero ¿qué dices, chacho?, le pregunté yo con la natural curiosidad por saber qué era aquello que él no había sido.

Las doce en punto daban. De fijo, señor comisario. De fijo, que sentimos las campanas parados en la puerta los dos. Yo las conté. Siempre las cuento, que para algo las dan, y el que tira de la soga vive pared con pared de nosotros, y le gusta que luego alguien le diga: Oye, la séptima de las once de ayer noche te salió un poquino es-mirriada, a poco ni la roza el badajo. Y entonces él se es-mera, y jala con tanto ahínco para la séptima que casi le sale un redoble. Antes las escuchaba con la parienta, ahora las escucho solo. Y es que mi difunta y yo siempre hemos pensado que hacer algo sabiendo que nadie te tiene cuenta es muy desagradecido, ¿no le parece a usted?

Las doce daban. El hijo de la Isidora se quedó sin ha-bla mientras yo las contaba. Cayeron sobre él como a cu-chillo, oiga usted, igual que si le dolieran. Verídico. Le daba un temblor en este ojo con cada una, y cuando aca-baron de sonar, dio un respingo. Y luego, respiró hondo.

No entró, no. Yo le pedí que entrara.

Pero no quiso, no señor.

Cogió el camino de su casa, se volvió hacia mí, me re-pitió que él no había sido y ya no lo vi más, nunca. Pare-cía un forastero en el camino de su casa, con ese abrigo tan largo.

Fue la última vez que lo vieron estos ojos.

Se lo juro, señor comisario.

Por mi difunta esposa que Dios tenga en su gloria, se lo juro.

Ya, ya. Ya sé que donde su casa no estaba. Pero el ca-mino de su casa cogió, ¿qué quiere que yo le diga?

No, hombre, si usted no molesta. Pero no vaya a creer que porque se me haya olvidado un detalle, que lo acabo de rectificar de cierto, voy a andarle ahora con in-ventados. No, señor, que yo aprendí desde bien chico que los embustes han de usarse siempre en provecho de uno, y a mí este pleito ni me aprovecha ni me deja de aprovechar.

Si no me enfado, válgame el cielo.

Déjese usted, pero también le digo otra cosa: mientras más tarda uno en descubrir que le han cogido en un extravío, más rabia le da. Y usted ha tardado un rato largo en decirme que me había cazado. Uno tiene su orgullo, qué carajo.

Haga el favor de no pedirme disculpas, que yo a usted todavía no le he pedido nada, recontra.

No se levante, hombre de Dios.

Pregunte lo que quiera preguntar. Pero siéntese, si quiere que sigamos con la plática y le haga yo saber lo que ha venido usted a saber.

¿Cómo no había de conocerla? ¿Pues no le he dicho que mi difunta se los traía a casa en los veranos, un día sí y otro también? ¿Sabe qué me contó el hijo de la Isidora ayer noche?

Que la señorita era la única en toda esa familia que le había dado cariño en la capital. Cariño, me dijo que le había dado. Ya lo decía mi Catalina, que sabía más de la vida que los propios filósofos, que la señorita y el hijo de la Isidora se tenían en mucha estima. Demasiada estima. Eso no es bueno siquiera en gente de la misma condición, decía, y estos dos han venido al mundo con pelaje distinto, distinto y encontrado. Si es que mi santa se percataba de lo que a nadie le daba por percatarse. Para ser mujer, tenía mucho fundamento. Hasta en las espaldas se le abrían ojos para ver lo que no podía ver.

Más de lo que usted se figura veía, sí, señor. Ella fue la que descubrió lo de la carta.

Una que le escribió el hijo de la Isidora a la señorita.

Verá, me lo contó la Nina un domingo después del almuerzo. La señorita Aurora andaba alborotada por su cumpleaños, que había de cumplir los quince en unos días.

La monja no, leche. La hija de doña Victoria. La monja hacía tiempo que estaba únicamente para las malvas.

Sigo, sí. Sigo. Le iba a decir que la rapaza no paraba en sí de ver que se avecinaba fecha tan señalada. La parienta había ido por la mañana a una procesión que recorrió el pueblo entero con el brazo de santa Teresa en alto metido en un cristal. Un brazo que no se pudre, oiga usted, ni desprendido del cuerpo se ha echado a perder. Total, que la Nina estaba fregando la loza como arrecogida, por lo del brazo santo, y yo me acerqué por su detrás, despacino, despacino, para darle un arrechucho y un susto. Mire que hace de eso, y todavía me acuerdo hasta en lo más chico. Quítate ya de ahí para acá, me pregonó antes de que llegara a rozarla, que te pareces a la señorita Aurora, que va para moza y todavía quiere colarse en mis refajos. Demonio de niña, tan bicho como tú, una sabandija que anda buscando siempre un hueco por donde entrar. Yo seguí a lo que iba, y mi Catalina dejó los cacharros en el pilón, y me espetó que dejara las manos a la vista, que era un intercadente.

Intercadente era una palabra de mi madre. Se la decía a mi santa, cuando la Nina se ponía más pelma

33

de la cuenta y no la dejaba ni barrer la puerta de la casa. Usted siéntese ahí, señora Lourdes, le decía, que ya ha trabajado bastante. Y mi madre dejaba lo que estuviera haciendo, refunfuñando que era una intercadente.

Conque la Nina se secó las manos en el mandil, me arrastró a esta silla, se sentó donde usted y me relató lo de la carta. Si parece que la estoy viendo, apoyando la mitad de la cara en una mano y sujetándose el codo con la otra. En cuanto se acomodaba esas maneras, sabía yo que algo iba a referirme.

Oiga, pues sí, así mismo se ponía. Y antes de pronunciar palabra, se tocaba el labio de arriba con el meñique.

No, hombre, no, sin quitarse la mano de la cara.

Justo. Nada más que un poquino echada para alante.

Y más cerca.

Tal cual.

Dos meses, sí. Dios le dio vida para acompañarme hasta hace dos meses. Dos meses ya que la enterré y no me acostumbro a no verla.

¿Usted cree que es poco tiempo? Pues a mí me da que el tiempo es corto si no se cuenta. Yo he contado todos los días. He contado todas las horas, todas las campanadas que me faltan de ella.

No, gracias, no fumo.

Dos meses son muchas campanas, para contarlas yo solo.

Faltaría más, fume cuanto se le antoje, no es menester que pida permiso.

Si estoy añejo, señor comisario, y a los añejos se nos

escapan sin querer unas lagrimillas, como a los niños. No me tenga lástima.

No se moleste, por mucha leña que eche al fuego, a estas horas el frío sólo se me quita bien arropado con los cobertores.

Deje ese pañuelo, que se lo agradezco igual. Yo llevo uno, ¿lo ve? Ya tengo los ojos pitiñosos. Siempre llevo, no vayan a creer que ando con legañas. Es la edad, que lo estropea todo. Y mejor que así sea, si llegáramos enteros a la tumba nos daría por preguntarnos por qué no nos espera un poquito más, ¿no le parece a usted? Pero con el estropicio de los años, uno se va acostumbrando a que el cuerpo dura lo que dura. Por eso, cuando a mí me ataca la reuma, aquí, en esta parte de la cadera que me duele a mala vida, me digo a mí mismo que ya tengo un paso adelantado. Y es natural, ya me queda menos para reunirme con mi hija y con su madre.

Quite, quite, ¿para qué quiero quedarme yo tanto, con este cuerpo tan gastado? Si a mí no me asusta la pelona, que deseando estoy de irme con mi gente. Y ellas tendrán ganas de verme, de fijo. ¿Sabe qué me sentenció mi Catalina cuando entregó el alma? ¿Sabe lo último que me dijo la muy guasona?

Hasta luego, me dijo, y me sonrió. Hasta luego. Me sonrió, y yo le sonreí también. A ver, ¿qué iba a hacer? Fíjese, sonriendo en un momento así, cuando la estaba viendo viva por última vez al tiempo que la veía por primera vez muerta. Sonriendo. Ella y yo. Sonriendo los dos.

Qué se le va hacer. Dios lo quiso así.

Y quiso también que al mes justo de que mi santa se diera en su último suspiro, llegase el del padrón.

El que apunta en un cartapacio a toda la vecindad del pueblo. Dese usted cuenta qué maldad trajo la suerte para señalar el destrozo.

Que yo tuve que apuntar a uno menos.

Señor comisario, no se ofenda, pero se nos ha cerrado la noche y ahora son las penas las que hablan. No le quiero importunar con mis sentires. Me va a permitir usted que le haga un requerimiento.

¿No le importaría volver mañana y le acabo de referir lo de la carta de la señorita?

Los padres de la novicia acudieron a la consulta del médico decididos a impedir que la ingresara en un hospital público, y se negaron también a trasladarla a un sanatorio privado, pues los que admitían enfermedades infecciosas se encontraban demasiado lejos de «Los Negrales».

—Pueden consultar a otros colegas. Les dirán lo mismo que yo.

—Mire, doctor Palacios, con su criterio nos basta. Nos gustaría llevar esto con la máxima discreción, es la primera vez que se da una enfermedad así en nuestra familia.

—Les aconsejo entonces que se la lleven al cortijo. El aire y el sol le vendrían muy bien. Estaría mucho mejor que enclaustrada en la celda del convento. Además, la madre Amparo puede negarse a que permanezca allí.

—En «Los Negrales» hay demasiado alboroto. Mi hija mayor va a casarse. En cuanto a lo demás, no se preocupe.

Y con mal fingido pudor, el padre de la novicia le detalló los motivos por los que no debía preocuparse. Comenzó por explicarle que el convento se fundó en el siglo XVI. Lo hizo construir un antepasado de su esposa en territorios de su propiedad. Desde su fundación, fue considerado como parte del patrimonio de los Paredes Soler y en todas las generaciones posteriores habían tenido el honor de que la madre abadesa perteneciera a la familia. Los primogénitos, al heredar tierras y fortuna, heredaban también el compromiso de mantener a la comunidad religiosa con generosos donativos. Ninguno de ellos había roto con la tradición. Y ninguno había renunciado a las reglas no escritas de gozar de ciertos privilegios. Todos los miembros de la familia recibían el santo sacramento del bautismo en el bautisterio del convento; todas las bodas se celebraban en su capilla; y sólo los Paredes Soler recibían cristiana sepultura en el único panteón que la orden había permitido edificar en su pequeño cementerio.

El cuello de doña Carmen Paredes Soler parecía crecer hacia arriba, incluso cuando bajaba la cabeza para asentir mientras hablaba su marido. Su barbilla se alzaba sobre los encajes que rodeaban su garganta, donde destacaba un camafeo de jade ribeteado de brillantes, tallado con el perfil de una mujer que se le parecía.

Apenas el padre de la enferma guardó silencio, la madre tomó la palabra. Añadió al gesto que había mantenido hasta entonces una media sonrisa y engoló la voz para decir que su situación era muy especial. Le contó que hacía dos años que su hermana mayor, la anterior madre abadesa, había muerto. Y cuando su hija los puso al corriente de su vocación religiosa, los llenó de orgullo, no sólo por un deseo tan repentino de tomar los hábitos, ya que la niña nunca había sido especialmente devota, sino porque continuaría con la tradición familiar. Su hija acababa de cumplir los diecisiete años y era la primera vez que se separaba de ellos, de manera que, cuando pidió llevarse a Felisa, y la superiora se negó a que la criada viviera en el convento, ella misma dispuso que la sirvienta se alojara en la pensión de enfrente para atender a su hija durante el día.

—Y a eso no pudo negarse. Aceptará también que Eulalia pase allí su enfermedad. No se preocupe, doctor Palacios.

Fue la primera vez que el médico oyó el nombre de la novicia. Pero no pasaron dos segundos, cuando su madre la llamó de distinta forma.

—Aurora estará allí más tranquila que en medio del alboroto de «Los Negrales».

De inmediato, doña Carmen se disculpó.

—Perdón. Eulalia, quiero decir.

Y le explicó que para ingresar en la congregación, su hija había escogido el nombre de Eulalia, la santa a la que dirigía siempre sus rezos, virgen y mártir, simbolizada por un horno encendido y una paloma. Doña Carmen le pormenorizó con fervorosa fruición el martirio de la cristiana emeritense de doce años, recreándose en los garfios que desgarraron los pechos púberes, en las teas que prendieron en sus heridas, en la nieve que cayó sobre su cuerpo para apagar su incendio, y en la paloma que salió de su boca en el momento de morir.

—Mi hija se llama Eulalia, discúlpeme si me equivoco y vuelvo a llamarla Aurora.

El timbre de voz de doña Carmen recuperó el tono de firmeza que había perdido por unos instantes.

—Doctor Palacios, Felisa se instalará con ella en la celda, es la persona que mejor la conoce, incluso mejor que yo, que soy su madre, ¿verdad, Ángel?

—Mi esposa tiene razón, Felisa la cuidará bien, hará todo lo que usted le indique. Se lo ruego, atiéndala en el convento.

La insistencia de los padres de la enferma no admitía negativas. El médico accedió. Y la señora de Albuera, sin levantarse de su asiento, le ofreció displicente el dorso de su mano derecha mientras su marido añadía otra proposición.

—Nosotros iremos a verla todos los domingos. Podría acompañarnos, doctor Palacios. Comprendo que es su día de descanso, pero sabremos compensarle. No hay buen bautizo sin buenos padrinos, ni grandes pasos sin grandes caminos. Piense usted en su futuro.

Las palabras de don Ángel Albuera llegaban a los oídos del médico mientras él pensaba en la enferma. Influencias. Nueva clientela. Favor por favor. Dificultades que debe padecer un médico que empieza. Las puertas a las que ha de llamar un recién llegado de la capital. Tropiezos para ejercer su profesión en un pueblo pequeño.

—Doctor, se lo ruego.

No era un ruego. Era una ostentación de poder. Pero el médico pensaba en la enferma. Tomó en sus dedos la mano inclinada que le extendía doña Carmen.

—A mi marido y a mí nos gustaría que viniera con nosotros en el coche, así podría ponernos al tanto durante el trayecto, y no le molestaríamos aquí en la consulta.

Aceptó, acercando levemente los labios al dorso de la mano ofrecida. Doña Carmen retiró la mano y se levantó de su asiento. Los hombres se levantaron también, y la siguieron hacia la salida. La señora de Albuera se detuvo dándoles la espalda, y el médico sintió que el perfume que la envolvía escapaba de ella, iluminando su altivez mientras esperaba a que alguno de los caballeros le abriera la puerta.

Antes de abandonar la consulta, acordaron que el doctor Palacios iría los domingos a encontrarse con los padres de la enferma a la salida de la iglesia. Y después de la misa de doce, en los corrillos que formaban con sus amistades, fue testigo de las conversaciones donde presumían de la vocación religiosa de su hija menor. Y observó que ocultaban su enfermedad, como si les avergonzara.

En la entrada del convento los esperaba la madre superiora, que ya sólo acudía a la celda de la novicia para acompañar a sus padres. En aquellas visitas, el tobillo del doctor Palacios no anunciaba sus movimientos. Los visitantes irrumpían en la clausura haciendo sonar únicamente sus pasos. La enferma los escuchaba desde el momento en que los oía llegar, y se incorporaba, esperando la entrada de los únicos miembros de su familia que iban a verla. Pero ellos la saludaban desde fuera por temor al contagio. Y el médico lamentaba la escena que se repetía domingo tras domingo.

—Papá.

Y entristecía cuando le tiraban un beso desde lejos.

—Mira lo que te hemos traído, todo es de «Los Negrales».

La hija devolvía cariñosa el saludo, y los padres entregaban a la madre superiora una canasta con frutas y verduras del huerto, con productos de la matanza, leche fresca, aceite, algún postre que le mandaba la cocinera del cortijo; y una cesta con flores.

—Mamá, dile a Justa que las bollas de chicharrón del domingo pasado estaban muy ricas.

—Tu hermana te envía un abrazo.

—¿Y no va a venir a verme?

—Cuando estés mejor.

—Pero si ya estoy mejor.

—Ya sabes cómo es Victoria, hija. Además, está ocupadísima con los preparativos de su boda.

Al médico le gustaban más las visitas de los días de diario, con la sirvienta como único testigo. La hermana portera le acompañaba a la habitación de la novicia, lo esperaba fuera y le guardaba la campanilla que él volvía a anudarse al salir de la celda.

—Voy a tener que enfadarme. Si vuelven a decirme que no quiere comer, dejaré de venir a verla.

—No diga eso, que me pondré triste y la tristeza no es buena medicina.

—Pero la comida sí, tiene que alimentarse bien si quiere curarse.

—Es que no tengo apetito, la comida no me pasa de aquí.

—Haría bien en enfadarse usted, señor doctor, que ayer escondió el jamón en lo hondo del pan y lo tapó luego con la miga, la muy ladina.

El médico miró a la novicia a los ojos, habían perdido parte del brillo de la fiebre pero conservaban una intensidad que le intimidó. La enferma le miró también, y evitó mantener su mirada.

Sin saberlo, él comenzó a acudir a su visita diaria con el deseo de que ella no apartara sus ojos de él. Ella le recibía con el mismo deseo. Y ambos apartaban la vista cuando se encontraban con los ojos del otro. Ninguno de los dos hubiera reconocido entonces que aquellas eran miradas fugitivas que gozaban al huir.

Ayer no se lo quise decir yo a usted, señor comisario, porque no le tenía mucha confianza. Pero hoy sí, hoy se lo voy a decir, porque esta noche me ha dado en pensar que es usted una persona de las buenas.

Sí, de las que andan con la pena quitada y te ponen bueno el talante nada más verlas, aunque no digan nada. Hay personas, yo no digo que sea mala gente, ni que lo hagan a propio intento, lo hacen sin querer, pero en cuanto aparecen, te cambian el cuerpo. Dicen los que saben que eso que tiene uno cuando no sabe qué tiene, se llama melancolía. Pues así me pongo yo cuando aparece el Tomás, sin ir más lejos. Melancolía. ¿No se lo cree? Es verídico. El hombre que está estudiado sabe decir muchas cosas. Yo no sé nada, pero le digo que gente que sabe lo dice, y lo ha puesto en los escritos, por si no se lo cree. ¿Se lo cree, o no se lo cree?

Melancolía. ¿No le pasa a usted con nadie?

A mí, con el Tomás. Se me quitan las ganas de hablar en cuanto llega, y cuando se va, me quedo más solo que si no hubiera venido. Con usted me pasa al revés. Anoche, cuando me metí en el catre, todavía rondaban palabras que me dieron compañía hasta que me dormí.

Sí, se lo voy a contar. Pero antes quiero que sepa usted que ayer me guardé algunas verdades por pensarlas antes de referirlas, no fueran a perjudicar al hijo de la Isidora, que lo que se está diciendo que él hizo es un contradiós sin fundamento. Y se lo voy a contar a usted porque sé que sería incapaz de desgraciarlo, como hicieron con mi Paco los guardiñas cuando lo tuvieron preso.

Pues que cuando acabaron de dar las doce y él dio un respingo, me dijo que iba a coger el tren de y media, pero que no podía subir así, y me pidió que le dejara entrar al cuarto de baño. Chacho, qué fino te has vuelto, le espeté yo muy serio, aquí no usamos de eso, aquí sólo te puedo ofrecer el retrete del corral. Pero él no precisaba hacer sus necesidades, él sólo quería lavarse.

Sí, lavarse he dicho.

Porque traía sangre en las manos.

Lo que oye. Y entonces fue cuando me dijo que él no había sido. Se limpió en el pilón, y me repitió que él no había sido. Yo no sabía de qué carajo me estaba hablando, pero fuera lo que fuera, yo le creí, por cómo me lo dijo, por la verdad que se le veía salir de la boca y de las arrugas de la frente. Los han matado a todos, y Aurora estaba delante, señor Antonio. Por la verdad, y por la muerte que traía en los ojos, que era únicamente la propia. Se lo digo yo, que lo sé, que él me lo dijo. Yo sólo quería morirme en mi tierra, señor Antonio, pero ni eso me dejan.

Eso mismo, que la hija de doña Victoria vio cómo los

45

mataban a todos. Pero no la llamó señorita Aurora. Dijo sólo Aurora, que me extrañó a mí esa confianza y se me vino a la mente mi difunta. Esos dos se tienen demasiada confianza, porfiaba siempre.

Se lo juro por mi santa, que en gloria esté.

No, yo le juré ayer que la última vez que lo vieron estos ojos fue en el camino de su casa.

Eso fue lo único que le juré.

Ya. Y el camino de su casa, si usted lo sigue todo recto, por donde las chumberas, llega a la estación. De forma, que no juré en falso.

No sé por qué traía sangre en las manos. Pero cuando yo le vi lavarse en el pilón, era sangre lo que corría con el agua. Sangre era, de fijo.

¿Cómo se va a ir? Si acaba de llegar como aquel que dice.

Sí que le ha entrado a usted prisa, carajo.

Que usted siga bien, señor comisario. Y vaya usted con Dios.

Vuelva cuando se le ofrezca. Aquí tiene su casa de usted.

Ande tranquilo, claro que estaré aquí mañana a la misma hora. ¿Dónde iba a estar?

La diminuta ventana de la celda iluminaba tan sólo los pies de la cama de la enferma. Había llegado el verano, pero el calor se detenía en los muros del convento y la habitación conservaba la frescura de una media penumbra.

—Felisa, ¿qué hora es?

—La misma que ayer a estas horas. Es pronto todavía, niña.

—Pronto, ¿para qué?

—¿Te hace falta que yo te lo diga?

—No andes con adivinanzas, Felisa.

Se acercaban las seis, y la sirvienta sabía que se acercaba también la visita del médico. Nada había que adivinar.

—Dime qué hora es.

—No han dado las cinco.

—Dame el rosario.

—Pero si ya lo hemos rezado tres veces.

Felisa se dispuso a recoger la bandeja con los restos de la merienda. Había observado a lo largo de los últimos días que la novicia no dejaba nada en los platos. Comía sin ganas, como siempre, pero engullía la comida, la tragaba con ansia, y no sólo por el deseo de recuperar la salud, sino para contarle al médico lo que había comido.

—Dame el rosario, ya recogerás luego la bandeja.

—Yo no pienso rezar otra vez el rosario, niña.

—Entonces, ¿qué hacemos?

—Nada, ahora no tienes que hacer nada. Descansar, que es lo que manda el médico.

—Si supieras leer...

—Pero no sé leer.

—Deberías haber aprendido.

—Cucha con el empeño que le ha dado ahora.

—¿Quieres aprender?

—¿Para qué había de servirme?

—Para leerme algo.

—Mira, confórmate con lo que tienes, niña, que hay mucha gente que está mala, y más mala que tú, y no tienen tu misma suerte.

—Dame agua.

—Nadie al lado, nadie que los cuide.

—Y colócame las almohadas.

—Ni que les coloque las almohadas.

—Quítame ese sol de los pies, tengo calor.

—Aquí no hace calor. Es la calentura, que le está costando mucho irse del todo.

Antes de entornar las contraventanas, Felisa miró hacia fuera y susurró para sí.

—La calentura, amén de otro fuego que te ha prendido en el pecho, niña.

Y de pie, asomada a la rendija que dejó abierta, observó la tierra roja. El olivar. Los árboles alineados. Las copas blanquecinas por el brillo de las últimas hojas. Los troncos que se elevaban caprichosos, manteniendo un duelo con la tierra: crecer hacia lo alto y regresar apenas hacia el suelo, para volver a crecer, retorcidos, como su propio cuerpo. Y le vinieron de un golpe sus años mozos, cuando un fuego la consumía también a ella. Y se vio vareando la aceituna, en una tarde de invierno y de sol. Una tarde de sol, como ésta.

Había sido hermosa, alta, y fuerte, y así se recordó, escuchando las carcajadas de Juan, mientras ella intentaba anudarse el pañuelo que cubría su cabeza.

—Has de soltar la vara, chacha. ¿No ves que te la estás metiendo por entre medio? Quita, déjame a mí.

Reían los dos. Juan la obligó a soltar la vara. Y después, le soltó el pañuelo.

—Déjame que lea un rato, Felisa. Un ratito nada más.

En aquel olivar podría haber sido; Juan desprendió su melena y se acarició la mejilla con ella.

—Cucha, no sabía yo que tu pelo era tanto, y tan negro.

Felisa respiró hondo. Se llevó las manos a la nuca. Buscó las horquillas que le sujetaban el moño, y las apretó.

—Felisa. Felisa, ¿me oyes?

Los días se enredaron unos con otros cuando Juan se marchó, poco después de pedirle que se casara con él. Y sus cabellos fueron perdiendo uno a uno el color negro, mientras ella esperaba su vuelta.

—Felisa. Felisa.

—¿Qué?

—Que me dejes leer un rato.

—¿Qué dices?

—Que quiero leer.

—Ni hablar, el médico ha mandado que no te fatigues.

—Pero ¿cómo van a fatigar los libros?

—¡Yo qué sé! A mí sólo me ha dicho que después de las comidas no puedes dormir ni leer.

—¿Qué hora es?

—¿Otra vez?

—Sí, otra vez.

—La misma que antes, nada más que un poquino más tarde.

—Entonces son casi las seis. Ponme un camisón limpio, anda. Y péiname ya.

No le esperaba yo tan temprano, señor comisario. Y me coge usted de chiripa, porque acabo de llegar del cementerio.

Todos los días voy, sí, señor. Y todos los días vuelvo con la resolución de que nunca más he de llegarme hasta allí.

Porque eso de que se vive solamente una vez será muy verdadero, pero la muerte es otra cosa. A mí, mi santa se me muere cada vez que me acuerdo de que se ha muerto. Y en el cementerio me acuerdo todo el rato, así que todo el rato se me está muriendo.

¿Qué ha de molestar? Está usted en su casa. Siéntese, que ya me voy acostumbrando a ver ese sitio ocupado.

De ahí que ayer se fuera usted de esas formas, más de prisa que si se hubiera agarrado a la cola del diablo. Ya me tenía que haber figurado que salió corriendo para hablar con la señorita Aurora.

¿Que ella no sabe nada? ¿Eso le ha dicho?

Yo que usted, no me creería ni un pelo de lo que le ha dicho.

¿Cómo que por qué? Pues porque es mujer.

Lo tenía yo por más avispado, señor comisario.

Muy sencillo, porque de las mujeres no hay que fiarse nunca, que se arreglan que da gusto para enredar la verdad con la mentira.

Si le ha dicho que no sabe nada, es que algo sabe, y mucho. ¿Usted no se ha percatado todavía de que si a una mujer se le pregunta qué le pasa y contesta que nada, es cuando se sabe de fijo que algo le pasa?

Ande, ahí lo tiene, no es de extrañar que la señorita no suelte prenda. Cuando no ha dicho nada es porque no le conviene hablar. ¿Qué esperaba usted? ¿Que le contase que estaba presente cuando los mataron a todos allí dentro?

Sé que estaban dentro porque aparecieron muertos dentro, ¿cómo no lo iba a saber?

Figuraciones suyas, señor comisario. El hijo de la Isidora no me dijo más de lo que le he contado yo a usted. Y hágame el favor: ¿se sabe algo de él?

Ya. Pero si usted está aquí, es porque no lo han encontrado, ¿no?

La última carta que llegó venía de la capital, sí, señor. Pero ya le dije que nunca ponía el remite, y que hace muchos años que la escribió.

Nadie la tiene. Si hubiera sido dos meses antes, las podría usted haber leído todas, pero ahora ya no.

Porque cuando la Isidora se acercaba a su fin, se las dio a mi difunta en una caja de lata, de esas que daban antes con las galletas. Le pidió que las leyera en alto de vez en cuando, que si desde el otro mundo se oía algo, ella quería seguir oyendo la voz de mi Catalina. Es que daba gloria de oírla, ¿sabe usted? La pobre mujer, la Isidora, hasta que sus piernas la aguantaron, estuvo viniendo aquí a escuchar las cartas viejas de su hijo, que ya no le escribía, de la primera a la última, una por una; y cuando se acababan, volvían a empezar. No sé cómo no se hartaron nunca, ninguna de las dos, de la tristeza que mandaba ese niño, angelito. Y las cartas que escribía siendo grande tampoco se salvaban de tristes.

No, señor. Ya no las tengo.

Las quemé cuando mi difunta pasó a mejor vida.

De qué me servían a mí, que soy analfabeto. Alguna palabra le habrá llegado a la Isidora con el humo, ¿verdad usted? Yo me sé muchas.

Se me quedaron de tanto oírlas.

¿De verdad quiere que se las refiera?

Deje, deje, ya atizo yo el brasero, traiga para acá la badila que yo la entiendo.

¿Palabra por palabra?

¿Ve? Ya va calentando.

Me da reparo.

No sé. Pero se me corta el aire sólo de pensar en decírselas.

Será que no tengo costumbre de que alguien me escuche un recitado.

Hablar es otra cosa, nos van saliendo los pensamientos conforme los vamos pensando. Son las palabras aprendidas las que le ahogan a uno antes de llegarle a la boca. Y se nos olvidan si las pensamos.

¿Y eso funciona de fijo?

¿Sólo con respirar?

Si usted tiene el gusto de oírlas...

Pues no faltaba más.

¿Empiezo?

«Aquí tengo un cuarto para mí solo, con sus visillos en los cristales, y un tren eléctrico, pero no hay nidos de golondrinas, mama.» «La piconera es un cuarto entero, mama, un cuarto grandísimo lleno de picón al lado de la cochera, y en la cochera caben cuatro coches. Y hay ascensor, que sube y que baja, y yo he montado.» «Menos mal que la señora ha tenido una niña, y ya no quiere que la llame mamá, porque a mí eso tan finolis no me sale, mama. Le van a poner Aurora, lo mismo que una hermana de la señora que era monja y que se murió.» ¿Ahora es cuando tengo que respirar hondo?

Sí, sí que funciona.

«Hoy es mi cumpleaños y la señora me ha regalado unos zapatos Gorila y una pelota verde que bota muy alto porque es muy dura.» «Ya tengo siete años, ¿cuándo va a venir papa a buscarme?» «Dígale a la señora Catalina que se fije en lo bien que escribo las letras, en vez de echarme una riña en cada carta por escribir algunas palabras juntas, y dígale que la monjita que me da la lección en la escuela dice que soy muy listo.» «La señora no quiere que nos mandemos cartas, y yo me he agarrado un berrinche y me he escondido en el chinanclo de la escalera hasta que me ha encontrado el Lorenzo y me ha dicho que él me las echa al correo, y que gritará bien alto las señas por la raja del buzón, como hago yo para que no se pierdan. Y me ha dicho también que no les ponga el remite, por si alguna se llega a perder, para que no la devuelvan y se entere la señora de que le sigo escribiendo. Señora Catalina, me dice el Lorenzo que le diga que escriba su nombre en el sobre, que es Lorenzo Barreda Mendoza, y que pinte usted una cruz chiquinina en vez del remite de mi señora madre, y así sabemos las que son mías, y que es secreto.» Este cacho era bien largo, y me ha salido de carrerilla. ¿Eh, señor comisario?

Una pizca de fatigado, sí. Pero puedo seguir todavía.

«El tercero ha sido niño, mama. Le van a poner Julián, por su abuelo, que va a ser el padrino.» Ése era el marqués.

Sí, el abuelo de los señoritos era marqués. No tenía una perra, pero tenía mucha importancia, por ser marqués. Y por eso algunos nuestros lo entraron en la parroquia y le prendieron fuego, con todos los demás.

Con los que iban contra la República y querían que volviera el rey, que estaba bien donde estaba, y allí se quedó.

Se salvó, sí. Llegó a su casa todo chamuscado y ni la propia marquesa lo pudo reconocer. Se había escondido en un confesionario, y se escabulló por un boquete que hizo una granada en el muro. Se las tiraban desde lo alto del campanario, ¿sabe usted? Que el cielo los perdone, si no los ha perdonado ya. A la Catalina por poco la matan, y era nada más que una niña. Se liaron a pegar tiros desde la torre a todo lo que se movía. Y la Nina se movió.

¿Qué habría de estar conforme yo con eso?

Y sólo Dios sabe cuántas cosas peores. Cosas malas. Cosas malas. Todo eso ha pasado ya.

Digo algunos nuestros porque yo nací republicano, y republicano me moriré. Y no los voy a llamar rojos, porque yo soy rojo, igual que mi padre, que lo era de verdad, y a mucha honra. Pero ésos eran de otro rasero, y con tanto desbarajuste, hicieron que llamaran rojo a los rojos como si fuera una afrenta, y con ese escarnio que lo dicen todavía los que se hicieron amos del poder. Y mi padre era rojo. Y así mismo le insultaron mientras se lo llevaban a la plaza de toros, gritándole rojo. Rojo. Rojo de mierda. Va para más de una vida, y todavía se me figura que oigo los chillos. Rojo, comunista, maricón, ahora vas a ver por dónde te vamos a dar. No se me despintan esas palabras, señor comisario, lanzadas como piedras con honda, para herir. Escuché cómo se las decían a mi propio padre, a mis diez añitos, y me dolieron más que si me las hubieran dicho a mí. Lloré lo que no lloró mi madre, cuando yo me tenía creído que ya era un hombre.

Fueron a por él a poco de empezar la guerra, sólo por pelear en el frente defendiendo lo que había que defender. Era la fiesta de la patrona, y los que habían resistido en el ayuntamiento se habían rendido ya. Y estaban todos muertos. Les prometieron perdonarles la vida por ser el día de la santa si se entregaban. Y se entregaron. Y el perdón les duró el tiempo que tardaron en rendirse. El pueblo ya había caído enterito, pero fueron buscando casa por casa, y a mi padre lo arrancaron de la mía. Le miraron el hombro y se lo llevaron.

Al verle la señal. A todos los que tenían la señal se los llevaban sin preguntar.

La que deja la culata del fusil. El que tenía la señal es

que había pegado unos cuantos tiros. Y mi padre la tenía. Mi madre se agarró a él y yo me agarré a mi madre. Lo despegaron a palos de nosotros, y a palos lo arrastraron hasta la plaza. Miró atrás antes de que lo metieran adentro, para ver a mi madre y que ella viera que no llevaba miedo. A mí me miró también. Era un hombre de una vez. Pero cuando el miedo es miedo de verdad, se cuela por las venas y no hay valiente que lo pare; le llega a uno al corazón cuando todavía está cavilando que lo puede frenar. Y antes de percatarse de que le había llegado, a padre ya se le veía en los ojos. El miedo es muy hijo de madre, el muy canalla, un hijo de la releche, y usted me perdonará las maneras, señor comisario, pero es que hay veces que a uno se le cuece la sangre y las palabras han de salir calientes, por fuerza.

Fue la última vez que lo vimos. A nosotros nos obligaron a volver a casa. No habían pasado dos horas cuando la mujer del Cuchillos, el afilador, vino a avisarnos de que fuéramos al cementerio.

Sí, señor, y a muchos más. Y menos mal que a padre no lo torearon. Se salvó de la humillación de correr detrás del capote y morir atravesado, como dicen que hicieron con otros. A él sólo le pegaron cuatro tiros. Y no crea usted que nos dejaron darle sepultura, ellos que son tan cristianos. Cuando mi madre fue a por razones de mi padre, ya lo habían quemado con los demás, junto por junto del cementerio.

Lo sabemos por un primo del Modesto, que era guardia civil y estaba dentro de la plaza. Se llegó a mi casa a darle cuenta a mi madre de lo que había pasado, porque la pobre mujer no paraba de preguntar a unos y a otros si a su marido le habían dado estoque. Quédese tranquila, le dijo, que su Antonio no se ha hincado en tierra, ha muerto de pie, con la cabeza bien alta y mirando de frente.

¿Por dónde quiere usted que siga, señor comisario, por la guerra?

¿Y por dónde iba?

A las seis en punto, la hermana portera acompañó al médico a la celda de la novicia, que al momento de verlo, le pidió a la sirvienta que le mostrara la bandeja de su merienda.

—Ni una miguita, doctor, ¿ha visto?

La expresión de la enferma dejaba traslucir su deseo de sorprender al médico, y él advirtió que aguardaba su reacción con ansiedad.

—Muy bien, hermana. Si sigue así, pronto la dejaré que se levante.

—¿De verdad?

—Sí, pero no exagere su alegría, será sólo para que se siente en el sillón.

—Señor doctor, a mí me da la pinta de que ahora me come en demasía.

—Felisa, llévate la bandeja a la cocina, anda.

Antes de salir de la habitación, Felisa se dio media vuelta.

—Sí, sí, me la llevo, pero el médico es como el confesor, que lo tiene que saber todo, y tú me pides siempre más. Y hay veces que, de seguida de comer, arrojas los trozos enteros. Que los he visto yo, que no tengo los ojos de adorno.

No dejó de murmurar mientras caminaba a lo largo del pasillo del claustro.

—Cucha la niña. Ésta se figura que ando todavía con chupe y babero, o que soy tonta de remate.

Había dejado la puerta entornada, y el reflejo de un sol amarillo iluminó la celda.

Fue la primera vez que los dos jóvenes se quedaron a solas. Ninguno de ellos supo qué decir. Las palabras se les quedaban retenidas en la necesidad de buscarlas, y ambos permanecieron en silencio hasta que la criada regresó.

—Aquí se está muy fresquito.

—Sí, señor doctor, eso mismo digo yo, pero ella dice que tiene calor. Me extraña que no le haya mandado cerrar la puerta, que hasta la luz se le figura a la niña que son brasas que van a arder.

El médico colocó su mano en la frente de la enferma, le tomó el pulso, le retiró con suavidad el escapulario y la auscultó. Fue inevitable que sus dedos la rozaran al presionar el fonendoscopio contra su pecho. Un roce apenas. Pero el médico supo que había provocado en ambos el desorden de una caricia involuntaria. Observó que las mejillas de la joven perdían por un momento su palidez enfermiza, y sintió que el calor subía a sus propias mejillas. Un roce apenas. Una involuntaria caricia. Ella apretó los labios, y él también.

—Tosa, hermana.

Si mañana Felisa los dejara solos, la llamaría por su nombre. Sí, mañana. Mañana. Mañana.

Mañana.

Mañana.

Al tiempo que formulaba su deseo, la hermana portera llamó a Felisa.

—Ahora mismito vuelvo, señor doctor.

Mañana podría ser hoy.

Mañana es una palabra muy larga.

Mañana.

Quizá mañana no se presente la oportunidad.

Mañana.

Hoy.

Ahora.

Y la llamó Eulalia mirándola a los ojos.

Ninguno de los dos retiró la mirada.

—No me llame Eulalia. Llámeme Aurora esta tarde.

—¿Sólo esta tarde?

—Llámame Aurora.

—Aurora.

La criada regresó en ese momento.

—Señor doctor, que dice la hermana portera que le diga que si le apetece a usted un arroz con leche con una poquita de canela.

—Gracias, Felisa, pero tengo que irme.

Mientras la novicia miraba al médico salir de su celda se llevó la mano al pecho y, al encontrarse con el escapulario, rompió a llorar. Felisa se sentó en la cama y le ofreció sus brazos. Ella buscó refugio en la mujer que la crió. Se dejó abrazar, y se meció en la ternura de su pecho. Felisa le palmeó la espalda, al ritmo del tintineo de los pasos del médico que enmudecía a lo lejos.

—¡Ay, virgencita mía de Guadalupe!, si sabía yo que esto habría de llegar más temprano que tarde.

—Felisa, no puedo explicarme lo que me ha pasado.

—Ni falta que te hace. Hay cosas que no tienen explicación.

—Me ha llamado Aurora. Me ha llamado Aurora.

—Cucha, ¿y qué?

—Que me ha llamado Aurora y he sentido una cosa aquí, Felisa, una cosa muy rara.

—Llora, hija, llora, de algo servirá aunque no sea de consuelo, que para esto no lo hay.

Y Felisa recordó su propio llanto, cuando Juan decidió marcharse a buscar un futuro que ofrecerle, y ella se quedó a esperarlo. Esperando siempre, hasta que el cansancio le trajo la certeza de que no había futuro para ella; y no existía siquiera el que había llegado ya, porque no era Juan quien se lo había traído.

—Felisa, dile a la madre Amparo que avise al padre Romero.

—¿A estas horas el cura? Ya lo verás mañana.

—No, tata, no. ¿No ves que me voy a morir?

Su cabeza continuaba escondida en el pecho que tantas veces la había acunado.

—Y ahora que te has hecho mayor, ¿vuelves a decirme tata?

Le secó las mejillas con el pañuelo que llevaba al cuello. Y recordó el que Juan le desató en el olivar. Aún debía de estar en la caja donde lo guardó, para ponérselo el día que él regresara y escucharle de nuevo reír cuando ella le pidiese que volviera a quitárselo. Lo había olvidado. Y había olvidado también en cuántas ocasiones lo sacó, a lo largo de cuántos años, para mirarlo y acordarse de Juan. Con el pañuelo en sus manos, recuperaba la seguridad de que cumpliría su promesa. Regresaría de Barcelona a buscarla. Y después de haber soñado con aquel regreso, volvía a mirar el pañuelo, y lo guardaba otra vez en la caja, bien doblado.

—Avisa al padre Romero, Felisa, dile que voy a morir.

—Qué vas a morirte.

—Te digo que me estoy muriendo.

—Y yo te digo que sólo se te ha roto el alma, y de esa herida no se muere una.

—Sí que me voy a morir. Voy a morir, tata.

—Cuando eras chiquinina, y te daban berrinches así, yo te salpicaba con agua, ¿te acuerdas? Capaz es que si te salpico ahora, se te pasa lo mismo. Y mejor, que el agua que tenemos en la mesilla está bendita.

—No, no. Me voy a morir y estoy en pecado. Estoy en pecado. No quiero morir en pecado.

—Qué pecado ni qué pecado.

—Avisa a la madre Amparo. Dile que necesito la confesión.

—Calma ya ese sofoco, niña, que te va a prender la calentura otra vez.

No hubo manera de convencerla de que esperase al día siguiente para ver a su confesor. Felisa, alarmada por su llanto incontenible, avisó a la madre superiora y ésta, a su vez, ordenó que llamaran al padre Romero.

Sólo cuando el sacerdote entró en la celda, la novicia dejó de llorar.

Esa misma noche, los señores de Albuera enviaron al chófer a recoger a su hija al convento y la instalaron en la habitación más apartada de «Los Negrales».

El médico lo supo por la mañana, el padre de su paciente se presentó en la consulta sin previo aviso, rogándole que le acompañara al cortijo.

—Nos la hemos llevado del convento. Está fuera de sí. Repite continuamente que renuncia a su vocación. Y no deja de gritar que se llama Aurora.

Por las cartas, rediez, por ahí tenía que seguir, señor comisario. Si ya digo yo que me distraigo con razón o sin ella. La última que le he referido yo a usted es cuando nació el tercero, que le pusieron Julián, por su abuelo el marqués, y por eso me he perdido.

¿La siguiente? Sí, como usted mande. La siguiente y las que se me vengan detrás. «Agustín y Julián me han roto el tren, mama, y la señora me ha echado una buena riña, porque yo les he pegado un puño a cada uno y nos ha encontrado llorando a los tres. A ellos no les ha reñido, pero a mí me ha dicho que soy un desagradecido, y que ya soy mayor, y me ha cambiado de cuarto. Ella dice que es de preferir que duerma con Lorenzo, que no es bueno que me acostumbre a cosas que después no voy a tener, pero yo sé que es un castigo.» «Dígale a padre que ya sé leer y escribir bien, como usted quería, pero que ya no entro en la escuela. Ahora sólo voy a llevar a los hijos de la señora y los dejo en la puerta.» «Estoy aprendiendo a conducir, porque la señora dice que Lorenzo se hará viejo, y que yo voy siendo demasiado hombre para ayudar a la cocinera y hacer los mandados. En cuanto aprenda, seré yo el que lleve al señorito y a los niños al cortijo en vacaciones, y entonces podré verla, madre. Y a padre.» «He pasado de ser un juguete de la señora a juguete de los niños, madre.» «Tengo ya veinte años, madre, y no puedo entender por qué me tiene usted ignorante de todo. Por qué no me da su permiso para ir a verla.» «Voy a ir al pueblo, madre. He ahorrado unos cuantos duros, ya me falta poco para pagarme el viaje.» «No quiero que padre se enfade con usted, madre. Si él lo manda, esperaré. Pero si tarda mucho, iré con su permiso o sin su permiso.»

No, no crea que es tan buena mi memoria. Se me vienen solas, como los recuerdos.

Pues ni siquiera hice fuerza por aprenderlas. Y la última me la sé entera, de pe a pa. La recibió la Isidora a poco de pasar el cumpleaños de la hija de doña Victoria.

¿Se acuerda que le iba a contar que ella también tenía una carta?

¿No se acuerda, que se lo empecé a referir ayer, que mi difunta dejó de fregar la loza y se sentó donde usted?

No. No. Para que entienda la última carta del hijo de la Isidora, antes tiene que saber lo que ponía en la que recibió la señorita al filo de su cumpleaños, cuando se acercaba a los quince. Pero si no quiere, señor comisario, no se lo cuento.

Me va comprendiendo usted. Los antecedentes, eso es.

Y total, que los antecedentes son como sigue: estando yo aquí, donde ahora mismo, y mi Catalina donde usted, me relató mi santa que una mañana temprano estaba planchando los manteles para el convite. Tan tranquilamente estaba ella, a su plancha y mirando por la ventana, en un cuarto que da frente al caserón de atrás. Habrá visto, sin más remedio lo tiene que haber visto, un caserón la mar de grande, más cerca que lejos del que está en el medio.

Uno que tiene tinajas en derredor cuajaítas de jazmines.

Unas tinas bien hermosas, ¿verdad usted?, y menudo mérito que le dan a la marquesina, grandísimo. Y resisten sin una sola raja desde que mi padre las llevó.

Sí, señor, él fue quien las puso en aquel pórtico. Y él mismo las hizo, con sus propias manos. Con alma, y a conciencia.

Pues desde allí la vio venir corriendo, a la hija de doña Victoria, hecha un mar de lágrimas. Mi santa la persiguió hasta su cuarto, y la encontró sentada en lo alto la cama con un sofocón de aquí te espero. Ella, mi difunta, que siempre reñía al que le desbaratara las camas recién hechas, cosa que le fueran a ensuciar las cobijas, se sentó con la señorita sin ningún miramiento. La niña tenía la carta en la mano, y la Catalina, que ya le he dicho yo que era muy lista, reconoció la letra del hijo de la Isidora nada más echarle el ojo.

No la leyó, qué va, la señorita no se lo consintió de ninguna de las maneras. Pero mi santa me contó que pudo ver toda la cuartilla emborronada de tinta, de las lágrimas que debió de llorar la muchacha.

Ya, ya. Ya sé lo que le dije antes, que para entender la

del hijo de la Isidora era menester que usted supiera primero lo que ponía en la carta de la señorita.

Que no, que no la leyó, recontra. ¿No se lo estoy diciendo?

Se lo voy a explicar, si usted me deja que se lo explique.

Y yo le digo que sí, que lo va a comprender, rediez, claro que lo va a comprender.

Porque yo le voy a contar lo que la señorita le contó a mi Catalina, y que luego después, mi Catalina me contó a mí.

Me contó que la señorita Aurora estaba en la marquesina con unas amigas que habían venido de la capital y con un primo de don Leandro, el ciego que vive en la casa azul, ¿ha visto usted la casa azul, una de la calle Ancha, que tiene todo el frente de baldosines?

Una casa la mar de bonita, verídico. Allí sirvió mi hija antes de morirse. Pues ahí vive el ciego.

Se quedó ciego en una montería, uno de sus hermanos disparó contra él creyendo que era un venado detrás de un matorral, su propio hermano, una maldad de la suerte.

Conque el ciego se puso a tocar en la guitarra una canción muy triste que le llaman fado. Y estaba cantando con su mujer, que era una portuguesa del Alentejo, y con los dos hijos, que les nacieron portugueses porque el ciego había vivido una pila de años en el extranjero con su madre, que se fue de aquí cuando le mataron a cuatro hijos y al marido, que era duque.

Sí, señor, a los cinco se los mataron cuando empezó

la guerra. El mismo día que casi achicharran al padre del señorito Leandro los mataron a todos. Los que se los llevaron les dijeron que iban a saber si era verdad que tenían azul la sangre. Y juntos los mataron, a los cinco.

Algunos nuestros.

Digo siempre algunos nuestros porque no me da la gana de llamarlos rojos, y si digo sólo nuestros, los estoy metiendo en el saco, ya se lo he explicado yo a usted, que no somos todos iguales.

Y el que le dejaron se salvó porque era ciego. La madre se agarró a él gritando que no le mataran también a ése, que ningún daño podía hacer. Fusilaron a los cinco al amanecer, en pijama, como los sacaron de casa. De la noche a la mañana se quedó sin el duque la señora duquesa, y con un solo hijo de los cinco que tenía, que eran todos varones. Y con el que le dejaron se fue a Portugal. Pero ahora vive en el pueblo el señor duque, desde que se casó.

No, leche. Mataron al padre, que era duque, y por eso entonces el ciego, además de ciego, era duque, como lo fue su padre.

Pues le decía que la señorita estaba con sus amigas en el caserón, que allí paraban los convidados que venían de fuera cuando había un jolgorio, y con el ciego y su familia. Dicen que la portuguesa, siempre que iba al cortijo, no hacía más que explicarle al marido lo bonito que se veía. Todo lo de aquí le gustaba a esa señora, por eso no tardó ni un año, después del casorio, en convencer al ciego de que se vinieran a vivir a la casa azul. Y dejar a la suegra donde estaba.

Total, que llegó el Zacarías voceando el nombre de la señorita Aurora. Mi santa la vio salir corriendo a la entrada principal, y volver con una carta abierta en la mano. Y la vio sentarse al lado del ciego a leer con disimulo el escrito. La Nina decía que, de fijo, a todos les habría dado en creer que la señorita rompió a llorar porque se había emocionado con la canción que llaman fado, o por ver al ciego tocando la guitarra, y que por eso se fue para su cuarto. Pero la señorita no lloraba por la canción, ni por ver al ciego tocando la guitarra.

El regreso de la novicia al cortijo no interrumpió los preparativos de boda de la hija mayor de los Albuera. La actividad de las sirvientas continuó en consonancia con las órdenes que recibían de doña Carmen y de su hija Victoria. Instalaron a la enferma en el pabellón de invitados y allí pasaba sus horas en compañía de Felisa.

La mañana siguiente a su llegada, el médico y su padre la encontraron sentada a la sombra, rezando con los ojos clavados en el suelo, bajo los arcos de la marquesina que cubría la entrada del pabellón. Sus dedos arrastraban las cuentas de un rosario de cristal, las deslizaba de su mano izquierda a la derecha ocultando su brillo por un momento.

—Dios te salve, María. Llena eres de gracia y bendita Tú eres entre todas las mujeres. Y bendito es el fruto de tu vientre, Jesús. Santa María, Madre de Dios, ruega por nosotros los pecadores, ahora y en la hora de nuestra muerte.

—Buenos días, hermana.

La voz del médico se mezcló con sus oraciones. Ella

enmudeció. Estremecida, mantuvo la mirada baja y soltó el rosario.

—Eulalia, hija, ¿no saludas a don Andrés?

—Me llamo Aurora. Me llamo Aurora. Me llamo Aurora.

Sin abandonar los gritos, se puso en pie y corrió al interior del pabellón a buscar el abrazo de Felisa.

Las carreras que emprendía la enferma, en cuanto el médico y su padre se acercaban, cesaron después de unos días. Felisa estaba con ella, sentada a su lado contestaba de forma mecánica a sus rezos, murmurando letanías atropelladamente, repitiendo de prisa una oración tras otra, comenzándolas antes de que la novicia acabara las suyas.

—Mater amantísima.

—Ora pro nobis.

El médico se dirigía a los soportales. Iba solo. Por primera vez, visitaba a su paciente en el cortijo sin que don Ángel le acompañara. Se detuvo frente a la joven y saludó. Ella respondió al saludo.

—Buenos días.

—Buenos días.

Felisa se levantó para ofrecer al médico su asiento y se retiró del porche.

—Por el amor del cielo, señor doctor, hable usted con la niña, que está empeñada en morirse y se nos va a morir muy de veras.

Al tiempo que sus pasos dejaron de oírse, cesó el sonido de una leve tos, y los jóvenes comenzaron a hablar en voz baja, sin saber muy bien qué decirse. El médico observaba a la enferma intentando disimular la preocupación que le producía su aspecto. Advirtió sus violentas ojeras, hundidas en surcos casi azules, casi morados, casi vino, casi del color de su pánico, oscuro, y apenas transparente.

—¿Qué va ser de nosotros?

—¿Nosotros?

—Sí, y del convento.

—Estoy enferma, quiero morir cerca de mi madre.

En su rostro lívido y en la palidez de sus dedos, de sus manos delgadas en exceso, buscó los síntomas de su enfermedad. Pero sabía, aunque ella se negara a hablar de ello, que su estado lánguido y su mirada brillante eran ajenos al mal que la arrastraba.

El médico y la enferma se miraban uno a otro sin advertir que otros ojos los observaban desde el primer piso de la casa central.

Reclinada en el alféizar de una ventana, acariciando las perlas de una gargantilla que llevaba al cuello, la novia vigilaba con recelo a su hermana, preocupada también, aunque no por su salud. La presencia de la enferma en el cortijo había alterado su ánimo bullicioso desde el primer momento. Nada más llegar, su madre le pidió que fuera a visitarla. Pero Victoria no se atrevió, a pesar de que el médico les hubiera asegurado que el peligro de contagio había pasado. Puso como excusa una jaqueca y le envió el rosario de cuentas de cristal con el que su hermana no cesaba de rezar desde que llegó a sus manos. Un rosario que habían admirado las dos en una vitrina de la iglesia del Cristo durante largo tiempo, y

73

que su padre compró para Victoria cuando la novicia ingresó en el convento. La verás pronto, podrás ir a verla cuando tú quieras, le había dicho al entregárselo, tratando de consolarla de la tristeza con la que se separó de su hermana por primera vez. Y ahora sólo quería verla desde lejos; la vigilaba cada mañana con la única intención de saber cuánto tiempo permanecía en el pórtico, mientras su recelo se convertía en una cierta animadversión contra la enferma.

—Mamá, ven un momento. Asómate.

Recostada en un diván, la madre hojeaba un catálogo que había llegado ese mismo día de París. Figurines de vestidos de novia.

—Mira éste, Victoria, es una preciosidad. Y como tiene el cuello subido, te destaca el camafeo de la bisabuela.

Se acercó a su hija y le mostró una página. Las dos miraron el dibujo.

—El mismo que me ha gustado a mí. Lo estaba viendo antes de que llegaras. ¿Tú crees que cumplirían con el plazo?

—Es de la misma casa que el de pedida, y ya ves que te ha llegado a tiempo para que Isidora te lo ajuste.

—Para éste necesitamos a Joaquina, que es la que tiene más delicadeza en las manos.

—Sí, claro, pero mejor que te lo arreglen las dos. Entonces, no miramos más. Lo encargo ya.

—Sí. A mí éste me encanta.

La señora de Albuera se dispuso a marcharse.

—Espera, mamá. Asómate un momento. Mira, Aurora está todo el día en la marquesina.

—Ya lo sé. Don Andrés ha dicho que tome el aire.

—Pero lo podía tomar en el patio de dentro. Ya sabes lo chismosas que son las muchachas. Todas preguntan, y al final se van a enterar de que no es una simple gripe. Van a correr la voz de que es contagioso y no va a venir nadie a mi fiesta de pedida.

—Se lo diré a Felisa.

—Y dile también que cierre las ventanas de fuera. Sería mejor que no las viese nadie.

Madre e hija acordaron comunicar a la servidumbre que la novicia había recuperado la salud. No dejarían ni un solo detalle al azar, para que todos los que asistieran a la fiesta creyesen que había regresado al convento. A los invitados que pernoctaran en el cortijo los alojarían en la casa central. Dirían que el pabellón estaba en obras si alguien se extrañaba al verlo cerrado y preguntaba. Y si no preguntaban, no darían ninguna explicación. Demasiadas excusas levantan sospechas. La comida de la enferma y de Felisa se la llevaría el chófer a diario, ellas mismas se la entregarían en un cesto, preparado a la hora de la siesta, cuando la cocina se quedara vacía. Y así se lo hicieron saber a don Ángel. Él se resistió a aceptar que la solución que proponían fuera la única alternativa, pero ante la insistencia de su esposa y de su hija, dijo que estaba de acuerdo.

A partir de entonces, Lorenzo se acercaba con sigilo a la puerta de la cocina, recogía las vituallas, se marchaba hacia la consulta del doctor Palacios y, ya caída la tarde, lo llevaba al cortijo dando un rodeo para tomar un camino de tierra que llegaba a la parte trasera del pabellón, donde Felisa esperaba con el garaje abierto. Y el médico entraba sin ser visto por un acceso directo al patio interior.

Las visitas clandestinas del médico se interrumpieron durante tres días, los que duró la estancia de los familiares que asistieron a la pedida de mano de la hija mayor de los Albuera.

La casa entera olía a jazmines el día de la fiesta. La noche anterior, Victoria había ayudado a las sirvientas a recoger en cestos las flores abiertas, y las distribuyó en platillos de porcelana sin olvidar un solo rincón. El aroma perfumó la velada, y acompañó las piezas de violín que tocó en su honor su futuro suegro, el marqués de Senara. Los novios bailaron el vals, solos, y ella pudo lucir la delicadeza de su vestido de organza. La ceremonia de pedida se celebró como la novia había soñado. Acudieron las personas más influyentes de la comarca, y entre los invitados se encontraban los duques de Augusta, tíos de Leandro, con sus cinco hijos, a pesar de que el menor convalecía aún de las heridas que había sufrido en los ojos en un accidente de caza. Victoria les agradeció personalmente su asistencia, y comentó luego a su madre la elegancia de la duquesa, envanecida por la prestancia que daba su abolengo y orgullosa de emparentar con ella.

—La duquesa de Augusta tiene un porte exquisito, ¿verdad, mamá?

Y sintió que entraba realmente a formar parte de la nobleza cuando su prometido le regaló un sello para su dedo meñique con el escudo de armas de su familia, un castillo a la izquierda y una flor de lis a la derecha, bajo un yelmo con dos plumas de avestruz. Recibió también una pulsera de brillantes. Y ella le entregó a Leandro unos gemelos, un pisacorbata y un reloj de cadena. A Victoria le hubiera gustado que el lapislázuli de su sortija heráldica llevara grabada una corona, con un diamante incrustado en cada una de sus cinco puntas. Pero su futuro suegro le había explicado a su tiempo, antes de enviarle al joyero para tomarle medida, que sólo el marqués de Senara, su esposa y su heredero podían llevar la corona. Ella iba a contraer matrimonio con el menor de sus hijos varones, y su prometido, tanto como sus cinco hermanas y los familiares directos de todos ellos, tenían derecho a usar el blasón del marquesado, pero siempre que llevase el yelmo y no la corona, que le correspondía sólo a los que ostentaban el título.

Después de la cena, sus primas y sus dos cuñadas pequeñas juguetearon a su alrededor, y cuando se cansaron de enseñar las uñas postizas que se habían fabricado con hojas de geranios y las cerezas que se habían colgado a modo de pendientes, brindaron por los novios con una palomita de anís y comenzaron a bailar unas con otras mostrando sus manos y a lanzar jazmines al cuadro flamenco que amenizaba el festejo. Las bailaoras tomaban las flores que las niñas les lanzaban y se adornaban el pelo con ellas. Las risas de las pequeñas tapaban los cantos. Una diversión a la que se sumó la novia, y sus otras cuñadas, arrojando flores también contra las criadas que se inclinaban a ofrecer bebidas. Los jóvenes que las acompañaban las imitaron.

Y las criadas siguieron inclinándose. Y se retiraron intentando una sonrisa, después de sortear los jazmines en un ejercicio de equilibrio con las pesadas bandejas de plata, para no derramar las copas y mantener limpios sus uniformes.

No me pica, no. No vaya usted a creer que tengo real-
quilados y que voy a pegárselos. Es una manía de siempre, me meto las uñas por entre medio de los pelos, debajo la boina, por una mala costumbre, como decía mi
santa. Cuando me vea así, es que estoy pensando.

Ahora estoy pensando que no se me tiene que olvidar
ni una sola palabra.

De lo que le voy a contar, que son cosas de mujeres y
no sé yo si sabré referirlas tal cual lo hacía mi Catalina.
Ella decía siempre que las historias había que principiar-
las por el principio y que después se sigue por donde
siguen y así es la única manera de llegar al final. Y ahí
se pasaba de sabihonda, porque la Nina, como a fin de
cuentas era mujer, por el medio se perdía en una retahí-
la de letanías que no se puede usted figurar. Y no quiero
yo que a mí me pase lo mismo.

No sé por qué me he puesto nervioso, la verdad. Pero
la verdad es que me he puesto nervioso, leche.

¿Nevando? Si aquí no nieva en la vida.

Yo desde aquí no lo veo.

Tiene usted una vista de lince. Por esta ventanina tan chica no hubiera visto yo los copos si no llego a acercarme, por grandes que sean.

Rediós que es bonito, si parecen cachos de miga de pan blanco.

Acérquese usted también.

Mire, pan hecho de harina que no pesa.

La primera no, la segunda. Pero no tengo ni repajolera idea de cuántos años hace de la primera. ¿Usted cree que cuajará?

Por las trazas que lleva, a mí también se me figura que cuaja.

La otra vez sí cayó un rato largo. Y se hizo todo blancura. Cómo sería, que los señoritos fueron a retratarse a la entrada del pueblo. Se tiraron una foto delante del letrero y la mandaron a la capital, por si la señora no se lo creía.

¿De qué letrero va a ser? Del que lleva escrito el nombre de este pueblo, para que los forasteros sepan que han llegado aquí y a ningún otro sitio.

Mire, mire, si los olivos parecen almendros. Así me rondaba a mí un no sé qué; y los animales andarán también revueltos. ¿Sabe que las bestias se ponen estremecidas cuando barruntan un cambio?

Sí, señor, demostrado está, algunas son más listas que las propias personas. Y si no, que se lo digan a mi santa, si alguien pudiera decírselo, que ella tenía una gata que cuando granizaba se escondía debajo del catre dos días antes. Todavía me acuerdo de la última vez. Se había ido la luz, como siempre que llovía dos gotas de más o caía un mal rayo, y mi santa encendió una lámpara de carburo. Estaban aquí los nietos del Tomás. Caían pedruscos como nunca los había visto, los golpes en la techumbre parecían martillazos, oiga usted, y a los chiquillos les entró el miedo del demonio. Y no es de extrañar, si hasta a mí me dio por creer que iban a clavar la casa en lo hondo de la tierra. La Catalina quiso entretener a los niños con la gata, pero no había forma ni manera de que el pobre animal saliera de su escondrijo. Allí se quedó a resguardo. Y mi santa, ni corta ni perezosa, se echó a la intemperie con un cubo.

Para arrebañar el granizo que se había amontonado delante del umbral. Y hacer un refresco con limón y azúcar.

Y en cuanto se les pasó el susto, se los sacó para fuera, para que hicieran guerra con lo que caía del cielo. Disfrutaron de lo lindo los zagales, se relamían que daba gloria de verlos.

Así era mi santa, cuando los renacuajos se cansaron de tirarse bolas, los metió para adentro, les dio leche caliente, y una aspirina a cada uno para que no se pusieran malos, y los puso a secar delante la lumbre.

Sí, señor, el contento se le salía del pecho y nos ponía contentos a todos los demás. Siempre se estaba riendo. Ella se reía con la mitad de la boca, ¿sabe usted?, pero la risa era entera.

Muy fácil. Míreme, a ver si me sale a mí un figurado y lo entiende al verlo.

¿Lo está viendo?

De forma y manera que se tapaba el labio de abajo

81

con los dientes de arriba. Era la mitad de la boca. Pero la risa era entera.

Claro, claro, por eso era buena para consolar. Menuda era ella. Pero si no le parece mal, señor comisario, nos sentamos ya, que parece que nos hemos apostado en los cristales a esperar una pieza. Y a mí así, doblado tal que una alcayata, me duelen a muerte los huesos.

Así estamos mejor, ¿es, o no es?

Es.

Y más calentitos, que allí nos estábamos quedando arrecíos.

¿Por el principio?

Me va a perdonar usted, pero es que ahora mismo no caigo en qué carajo estábamos.

Ah, ya, ya. No hace falta que me diga más. La consoló requetebién consolada. Según me relató mi Catalina, la señorita dejó el lloriqueo, siguió con la carta en la mano y le dijo que no podía ir a su fiesta como le tenía prometido porque se iba a marchar.

Al extranjero.

¿Quién va a ser? El hijo de la Isidora.

Eso le contaba en la carta, que se iba al extranjero.

Y le contaba también que el señorito Julián, el más chico de doña Victoria, se había enterado de que el hijo de la Isidora tenía pensamiento de ir al cortijo a ver a la señorita el día de su cumpleaños. Y no me pregunte usted cómo se había enterado, pero se había enterado, y le fue con la copla a su madre. Doña Victoria cogió en un aparte al hijo de la Isidora y le espetó que era un impertinente y un desgraciado, que no lo quería ver más en su casa y que no se le ocurriera ir al cortijo a ver a su hija. Y que no se le pasara por el pensamiento volver al pueblo, porque allí nadie le quería, ni sus padres. Fíjese usted lo que le dijo, que ni sus padres le querían, y que por eso se lo habían vendido a ella. Vendido. Mi Catalina no quiso decirle nada a la Isidora, pero a mí sí que me lo dijo. Todo eso le ponía en la carta a la señorita. Todo eso. No se me despinta la carina de pena de mi santa cuando me lo estaba relatando. Le ha dicho la señora que la madre lo vendió, Antonio, que se lo cambió por algo. Lástima de criatura, que se lo ha creído. Qué coño le habrá contado, para que el hijo haya dado por cierto que la Isidora lo había vendido, al trueque. Vendido, como ganado en feria. ¿Habrá Dios, Antonio?

En el patio interior del pabellón de invitados, la enferma esperaba al médico reclinada en una mecedora junto a una buganvilla de flores moradas. La primera visita después de tres días, los mismos que había durado la estancia de sus familiares en el cortijo. Los tres días que llevaba en un encierro silencioso, simulando que había regresado al convento, que no estaba enferma y que no estaba allí. Ella no estaba allí, por eso sus tías y sus primas no habían ido a verla, ni el médico tampoco. Tan sólo su padre se acercó un momento al pabellón, al atardecer del segundo día, y estuvo con ella unos minutos sentado a la sombra de la buganvilla. Pero ahora que los invitados a la fiesta de pedida de su hermana se habían marchado, ahora que sólo debía ocultarse a las miradas del servicio, y que el chófer podría llegar hasta el pabellón con menos posibilidades de ser visto, ella volvía a estar allí, y volvía a estar enferma, y el médico ya podía volver a visitarla. Y se impacientaba por su tardanza. Porque estaba allí, y llevaba un vestido de verano con las mangas ajustadas hasta el codo, el que más le gustaba, de color azul y diminutos lunares blancos, con el escote cerrado y falda de vuelo. La última vez que se lo puso fue aquella mañana antigua que salió del cortijo para ingresar en el convento.

Sin dejar de mover las puntas de sus zapatos, se impulsaba con los talones mirando el crucifijo del rosario abandonado en su regazo. El Cristo también se mecía en su cruz de plata, al ritmo del balanceo de su hamaca, y agitaba la corona, y los brazos, y las piernas cruzadas, y el letrero imperceptible donde había que adivinar la inscripción. Descanse en paz. Aferrada a los brazos de su mecedora, con las manos extendidas a lo largo de la madera curvada, la enferma calculó los minutos que faltaban para que Felisa abriera la puerta del garaje. La miró a hurtadillas, para que ella no advirtiera su impaciencia.

Pero Felisa no la miraba. Entretenía su tiempo regando las aspidistras de los soportales. Después de regar cada planta, agachándose con dificultad, se sujetaba los riñones y se erguía con una torpeza recién adquirida, antes de volver al grifo y echar apenas un poco de agua en la regadera de zinc, porque ya no podía con su peso si la llenaba entera. Iba de una maceta a la otra arrastrando los pies, secándose el sudor de la frente con un pico de su delantal. Distraída, con la mente en cualquier otra parte, no oyó las horas metálicas que sonaron desde el reloj de péndulo del comedor de los trofeos.

—Felisa, ya puedes abrir la cochera.

Felisa dejó de regar y fue hacia el garaje. Una mariposa blanca revoloteó un momento frente a ella.

—Mira, niña, una mariposa blanca. Hoy va a ser un día de suerte.

Caminaba despacio, jadeando al respirar.

—Date prisa, mujer.

Apresuró la marcha y le sobrevino un ataque de tos. Se detuvo a sujetarse el pecho con una mano, y con la otra buscó su pañuelo de bolsillo. La novicia se dio cuenta entonces de que había adelgazado mucho. Y la vio cansada y vieja por primera vez.

Antes de que el médico saliera del coche, Felisa le mostró su pañuelo.

—Pero si estaba prácticamente curada. ¿Desde cuándo vuelve a manchar?

—No es de la niña. Es mío.

—Por el amor de Dios, Felisa, ¿cómo no me lo ha dicho antes?

—¿Cómo pretende usted que se lo diga, señor doctor, si hace tres días que no viene, y son tres días los que llevo escupiendo sangre?

Y se le escapó una sonrisa que intentó disimular, como un niño que miente.

—Felisa, dígale a la señorita Aurora que ahora vuelvo.

Sin moverse del asiento, el médico le pidió al chófer que diera la vuelta y lo llevara por la avenida de los álamos a la entrada principal del cortijo.

Allí se encontró de nuevo con la resistencia de los Albuera. Intentó convencerlos de que ingresaran a la enferma en un hospital. Insistió en la urgencia del traslado. Y de nuevo escuchó los argumentos en contra.

—Don Andrés, por caridad, usted está curando a mi hija sin necesidad de ingresarla.

Doña Carmen apretó la mano de su marido, sentado junto a ella en el mismo diván del gabinete.

—Sí, pero Felisa es muy mayor.

—Precisamente por eso, ¿cómo vamos a mandarla sola a un hospital?

—No estará sola.

—Estará sin la niña, no se ha separado de ella desde que nació.

La tristeza le empapaba los ojos cuando su hija mayor asomó la cabeza al interior del gabinete, mostrando sólo la mitad de su cuerpo.

—Mamá, Aurora se ha asomado a una ventana, y nos está llamando a gritos.

El médico se levantó de inmediato y corrió hacia la salida. El chófer abrió la portezuela del automóvil para volver a llevarlo dando un rodeo y la cerró al ver que pasaba de largo, seguido en su carrera por los señores y la señorita Victoria. Los vio desaparecer a toda prisa por detrás de la casa, y tomar el camino directo al pabellón.

Al llegar, encontraron a la sirvienta en el suelo. A su lado, Aurora intentaba sin conseguirlo limpiarle la boca con la falda de su vestido azul. La sangre que vomitaba Felisa espantó a los que llegaron. El médico la cogió en brazos y ella abrió los ojos, su pupila dilatada le impedía ver, pero fijó su mirada incapaz en el hombre que la alzaba intentando vislumbrar su rostro, reconocer su ternura. Después de esforzarse en mantener erguida la cabeza, la abandonó en su hombro.

—Juan, qué viejo estás.

—Que alguien vaya a decirle a Lorenzo que acerque el coche. Mi maletín está en el asiento. De prisa.

La llevó al pórtico delantero, la tendió en el suelo y esperó allí al chófer para no perder tiempo en darle los primeros auxilios. En cuestión de minutos, dispuso de lo que necesitaba de su maletín.

—Me la llevo al hospital ahora mismo.

—Qué viejo estás, Juan.

Volvieron a cogerla en brazos, y ella intentó de nuevo pronunciar el nombre de Juan. Sólo llegó a articular un sonido que el médico no pudo distinguir, mientras la colocaba en el asiento trasero recostada en su hombro.

—Yo voy con usted. Vamos, Lorenzo, conduce lo más rápido que puedas.

El señor Albuera subió al asiento delantero. Su mujer y su hija mayor abrazaban a la pequeña. Paralizadas las tres en los soportales, observaron cómo se llevaban a Felisa. A través de la ventanilla podían verla, desmadejada sobre el hombro del médico. Su moño se desprendió de su nuca, y su cabello, largo y gris, resbaló hacia su costado serpenteando, como si buscara algo.

Antes de tomar la curva donde comenzaba la alameda, el vehículo se detuvo. Las mujeres vieron cómo daba la vuelta. Regresaba hacia ellas.

Unos pocos de días habían pasado, señor comisario, después del cumpleaños de la señorita, cuando le llegó la última carta a la Isidora. El festejo las dejó a todas baldadas, como siempre que había celebraciones en el cortijo. Nadie se quejaba, ¿sabe usted? Nadie. Y acababan reventaítas, se lo digo yo, porque tres días antes ya se ponían a trajinar. Todas las mujeres de la aparcería se llegaban hasta allá arriba. Un ejército. Dejaban lo que tuvieran entre manos hasta las que faenaban en el campo. Daba igual que fuera tiempo de siembra o de cosecha, lo mismo les daba, sí, señor.

No, a ellas no, a los señoritos que son los que mandan.

Darle la vuelta al cortijo de arriba abajo, para quedarlo de punta en blanco, eso es lo que hacían. Descolgar cortinas, lavarlas, plancharlas, volver a colgarlas. Sacudir a palos las alfombras, limpiar las lámparas, fregar con asperón y estropajo de soga los muebles de madera tierna, y dejarse las rodillas en las tablas donde se hincaban para limpiar el suelo baldosa por baldosa. Sacar brillo a la plata, y blanquear con añil las sábanas y las colchas, y los manteles finos, aunque los hubieran guardado como chorros de oro después de la última juerga, eso decía mi santa. Amén de preparar la loza y la cristalería de lujo, no crea usted que usaban para esos tercios lo mismo que a diario, no, señor. Daban mucho trabajo las fiestas. Venían convidados de todas partes, y muchos se quedaban a dormir en el caserón grande, que por sitio no era.

Tal que así lo llaman ellos, el pabellón de caza.

No sabe usted bien cómo se ponía eso en cuanto que se levantaba la veda. Se caía abajo de gente. Las más buenas escopetas del medio mundo cazaban en el coto de los señoritos. Pero eso era en mejores tiempos, cuando a los que más tenían les daba para más recoger la aceituna que arrancar los olivos; y se trabajaba la tierra, y los que tenían menos se ganaban aquí el jornal y no necesitaban marcharse a buscar la miseria a otro lado. Ahora el campo es puro abandono. Los mozos se nos fueron, ¿sabe usted?, y hasta los cazadores dejaron de venir en cuanto los viejos se hicieron demasiado viejos y no servían ya ni para aventar las piezas. Y a los que se quedaron les cogió un plan de ayuda a la comarca, y más de uno y más dos se apuntaron a vivir en los pueblos nuevos que hicieron, con las casitas blancas todas iguales. Mi santa decía que los engatusaron bien engatusados, que se precisaban pastores para llenar esos portalitos de Belén. Y llevaba parte razón, que ahora esos pueblos nuevecitos se han hecho añejos, y algunos mozos no aguantaron ni el primer envite y se volvieron marcha atrás. Y a los que recularon no les quedó otra que arrimarse al furtivo y conformarse con lo que nadie debiera estar conforme. Pero antes, en tiempos, al pie de las tinajas de mi padre las ristras de perdices no cabían en el suelo para contarlas. No vea usted lo que era aquello en ese entonces. Y no vea la hilera de hombres que se formaba en el campo, alborotando para levantar el vuelo a cualquier bicho que tuviera alas, y todo el que subía bajaba, se lo digo yo. Había faena para todos, chicos y grandes. Los que no voceaban cargaban con las armas, y otros señalaban los puestos. No había casa donde no entrara un jornal. Y el que no conseguía siquiera amarrar a los perros tenía a la parienta reventándose los sabañones con el desplume de las aves, o a las hijas sirviendo a las señoras, que no iban al campo, o echándole una mano a la Justa en la cocina, porque no daba a basto en guisar calderetas. Trabajo para las mujeres había de sobra. Se sacaban todas unas cuantas perras de las propinas que dejaban los de fuera, amén de las presas que se repartían después que los cazadores arrearan con las suyas. Un buen manojo, sí, señor, más de una pareja de codorniz les tocaba a cada una, y más de unas cuantas de perdices; las maltrechas, que los señores ésas no las quieren ni enseñar. Dicen los que cazan que hay que matar con limpieza, para que sea de gusto. ¿Eso lo sabía usted?

Pues sangrar, sangran todas. Y la sangre es sangre, y nunca es tan limpia que dé gusto. Para mí que es la mancha la que hay que limpiar.

En el cumpleaños de la señorita, ahí estábamos. Ahora le he pillado yo a usted en un renuncio, ¿eh, señor comisario?

Le iba a relatar lo de la carta que recibió la Isidora después del cumpleaños. ¿Se va acordando?

Aunque antes le tengo que aproximar unos antecedentes.

De cómo la Isidora se llegó hasta allí y se volvió con las mismas.

Al cortijo, el día del cumpleaños de la señorita.

La Isidora trabajaba en el cortijo como la Nina, a jornal. Pero después que se llevaron al hijo, se puso mala. Y cuando se puso buena, que tardó lo suyo, le dijo el Modesto que era de preferir que le ayudara en el campo, no fuera a ser que las fiebres le volvieran de angustias en el mismo sitio que le habían entrado. Y nunca más subió. Pero en el cumpleaños de la señorita Aurora sí que se fue para arriba, a echar una mano a la Nina dijo que iba. Aunque mi santa barruntaba que no era para eso; y es que ella conocía a las mujeres mejor que usted y que yo, porque no me negará que son difíciles de conocer, ¿no?

También lleva usted razón, ni difícil siquiera. Imposible talmente, qué carajo.

Ni usted ni nadie. Yo no he visto otra especie que diga siempre que no, aunque quiera decir lo contrario, ¿quién va a entender semejante desatino?

Le iba diciendo que la Catalina era mujer y, como mujer que era, barruntó que la Isidora se había enterado de que el hijo tenía pensamiento de ir a la fiesta, como se había enterado el señorito Julián, el que le fue con el cuento a la madre. Pero no fue al hijo al que se encontró allí.

Se encontró a la señora, que le dijo buenos días y nada más. Se dio media vuelta y se entró para adentro, como si no la conociera. Y santas fueron las pascuas.

Casi diecisiete años estuvieron sin verse. Los que cumplía la hija, más el tiempo que tardó en preñarse después de llevarse al de la Isidora, que no llegó al año siquiera, y lo que dura la preñez. Eche usted la cuenta.

Eso no se lo cree ni el más tontaina. La reconoció, vamos que si la reconoció, y requetebién. La misma cara tenía, aunque un poquino más vieja.

Se fue, sí se fue, pero no de seguida de ver a la señora. Antes esperó un buen rato con la cabeza bien alta, por si aparecía su hijo. Pero quiso el demonio que se encontrara con una tía de la señora doña Victoria. Una que se casó con un carlista que era también masón, y lo fusilaron los nacionales nada más que por eso, por carlista y por masón.

Bueno, no se puede ni figurar las historias que hay para contar de esa familia, como es tan grande, y tan principal. Por un lado está don Leandro, que aunque no tengan tierras son de aquí de toda la vida. Y ésos son siete hermanos por lo menos.

Siete me parece que son. A ver, dos varones, uno que se quedó renco de una mala caída en un caballo y lleva la pierna a rastras como un sentenciado arrastra la condena en una bola; ése se llama don Felipe, que es el marqués de ahora y vive con tres hermanas que tiene, solteras las tres, en una casa bien hermosa de grande, mismamente a la vera de la parroquia, donde se ha quedado la señorita estos días. Y otro, el señorito, el pobre de don Leandro; y otras dos hembras, siete. Las otras dos hembras son igualitas, las más chicas, igualitas, oiga usted, igualitas.

Numerosa, y gente principal donde las haya, la familia de don Leandro. Y juntan entre toda la parentela no sé cuántas alcurnias, una hartura, no se vaya usted a creer que aquí se ha trabajado hasta dejar la vida para unos cualquieras. Aunque la buena cuna no salva de la mala fortuna, y a éstos también les tocó penar lo suyo. La primera desgracia que les cayó encima fue la ceguera de su primo el duque, y luego después se pierde la cuenta de tantas que les vinieron detrás.

La que se encontró con la Isidora fue la del marido masón, y carlista, que lo mataron los otros. Y era tía de doña Victoria. ¿Me va siguiendo usted, señor comisario?

Una Paredes Soler, efectivamente, y si la memoria no me engaña, le decían doña Ida.

Ida es un nombre, claro que sí.

Ida se llamaba esa señora. Sí. Se lo doy por cierto. Tenía salero la doña Ida, y era una persona de las buenas, como usted. Se le reía el alma, ¿sabe? Llevaba la risa puesta desde que el sol levantaba. Yo la conocí un día que vino a ver a mi hija, y de paso me compró unos botijos. Se movía entre los cacharros de puntillas por miedo a romper algo, y daba saltitos como una niña chica que no quiere pisar la raya del lile pintada con tizón en el suelo. Me pagó unas cuantas perras de más. Yo me negué a cogerle el dinero de sobra, que uno tiene su dignidad y no pone precio sin razones, amén de que a mí las riñas de pesetas no me gustan bastante. Pero ella se lo dio a mi santa. Una propina para tu hija, le dijo. Y ahí sí que ya no hubo manera, porque entre mujeres es mejor no meterse.

Total, que la Isidora se encontró con la doña Ida. Que a ésa, recién viuda, no le quedó otra que huir a un campo del sur de Francia, adonde llegaban los republicanos y los tenían como presos. Con las tres niñas bien chicas se fue la pobre señora, y se llevó a una criada con ella.

Lo mismo que la monja, sí, ni más ni menos, que se llevó a la Felisa al convento. Pero ésta se llevó una criada a un campo de refugiados republicanos. Si la Nina estuviera aquí, se lo contaría mejor que yo, porque ella le había escuchado a la doña Ida relatar sus cuitas. Mi santa, que en paz descanse, decía que lo contaba como si allí hubieran estado para un jubileo. Y ella me lo refería a mí, imitándole la voz a la doña Ida. Imagínate, Catalina, imagínate que llegas a un campo de concentración lleno de comunistas y de ateos con una criada. Bueno, tú no; imagínate que llego yo a un campo lleno de comunistas y de ateos con mis tres hijas pequeñas y una criada, y nos meten a todas en un albergue con muchas camas, todas juntas. Imagínate por un momento cómo lo pasé yo, cuando esas mujeres me miraban de reojo porque rezaba el rosario; imagínate un poco más, imagínate ahora cómo lo pasaría yo cuando me insultaban, sólo porque Elo me lavaba la ropita de las niñas, y las peinaba, y les daba de comer; un bochorno, Catalina, un bochorno.

Dije que quiso el demonio que la Isidora se encontrara a la doña Ida porque lo primero que le contó la buena señora fue que su hijo no iba a volver, que no lo buscara allí porque allí no había de encontrarlo. Y de seguido, ¿sabe qué se le pudo ocurrir?

Decirle que ojalá no estuviera en Francia, donde ella lo había pasado tan mal, que ya conocía por la señorita que se había marchado al extranjero. Usted me dirá si no fue cosa del demonio que se enterara así. ¿Es, o no es?

Es. Pues claro que es. Cuando la Isidora ni siquiera había recibido la carta, la pobre.

Sí, ahora ya le puedo referir la carta del hijo de la Isidora.

Entera, sí señor. Si tiro una mijina de la memoria, capaz que se la cuento sin que me falte una letra.

El mismo día de la muerte de Felisa, la señora de Albuerá decidió trasladar a la menor de sus hijas a su antigua habitación, e inmediatamente después del entierro, continuó ayudando a la mayor en los preparativos de su boda.

Por respeto a la muerte que había visitado la casa, las criadas trabajaban en silencio. Aun así, sus faldas volanderas recorrían el cortijo en una actividad que ocupaba habitaciones, patios y corredores, produciendo un rumor incesante que llegaba a los oídos de la enferma. Pero ella no lo escuchaba. Sólo los pasos del médico y los tacones apresurados de su madre, que reconocía en cuanto empezaban a oírse al final del pasillo, la sacaban del letargo al que se había abandonado.

A través de los balcones, ajena al creciente ajetreo que la rodeaba, la enferma contemplaba a todas horas los arcos del pabellón de caza, donde comenzaron a alojarse los invitados que acudían con tiempo de pasar unas pequeñas vacaciones familiares antes de la boda. Postrada en su hamaca, mantenía la mirada fija en la marquesina donde vio a Felisa con vida por última vez, sin permitir que nadie cerrara los balcones. Su madre lo intentaba cuando entraba a verla, pero, a pesar de su insistencia, permanecían abiertos desde que se instaló en aquella habitación.

—Déjame al menos que eche las persianas. Entra mucho sol, Aurora.

—Es igual, mamá, déjalas así.

—Está bien, como quieras. ¿Necesitas algo?

—No, nada.

—Bueno, pues entonces me voy, que no acaban de traer regalos y Victoria está muy nerviosa. Ni siquiera deja que Joaquina nos ayude a desempaquetar. ¿Has desayunado ya?

—Sí.

—No sabes cómo está la salita verde, nos estamos volviendo locas para colocarlos todos a la vista y que no tengan que estar unos encima de otros. Y por si fuera poco, ya ha llegado el traje de novia. Por cierto, don Andrés vendrá hoy más tarde.

—¿Más tarde?

—Sí, pero no mucho. Lorenzo tiene que ir a por el vestido antes de recogerlo a él. El novio de Victoria se empeñó en que lo mandaran a su casa contra reembolso. Ya ves qué ordinariez. Con lo fácil que hubiera sido que lo enviaran aquí y lo cargaran a su cuenta. Pero claro, como no tienen una peseta, no me extrañaría que no tuvieran cuenta en esa casa, ni en ninguna otra casa de modas francesa. ¿Qué quieres para comer?

—Me da igual.

—No se lo digas a tu hermana, pero seguro que hasta los sombreros se los hacen aquí. ¿Quieres escabeche de pollo? Lo han hecho con patatas y judías verdes, como a ti te gusta.

—Bueno.

—Para las muchachas hay sopa de tomate. Se creen que porque tienen un título son más que nadie. Me río yo del rancio abolengo. La madre, cuando se casó, no puso ni los muebles. Si no te apetece el escabeche le digo a Justa que aparte un poco de sopa para ti, y que mande a alguien a las viñas a por uvas, alguna habrá ya.

—¿Es que viene tía Ida?

—Llega esta noche con tus primas, ¿por qué?

—Siempre que hay sopa de tomate, viene tía Ida.

—Qué tonterías se te ocurren.

La madre le dirigía siempre las últimas palabras sujetando ya el pomo de la puerta.

—¿Te apetece sopa de tomate con uvas, o no?

Y escuchaba las suyas mientras la cerraba.

—Me da igual. Que me suban lo que tú quieras, mamá.

Aquellas visitas fugaces le hacían recobrar su niñez, las numerosas ocasiones en las que enfermaba y su madre le ponía la mano en la frente. Se sentaba junto a ella y le daba el desayuno. Medialuna de crema, con ralladura de coco empapada en los bordes. Y cuando se iba, el perfume que la acompañaba permanecía en el dormitorio para recordarle su presencia, hasta que volviera a entrar, quizá para llevarle la merienda, gallegas de nata y piononos; o un gran cofre lleno de fotografías, unos recortables y unos cuentos de hadas, o una campanilla que dejaría a su alcance, para que la tocara si necesitaba alguna cosa. Una campanita de cobre, para llamarla. Su tintineo resonaba en toda la casa, y a veces era su padre el que acudía, se sentaba a los pies de su cama y le recitaba unos versos.

—Isidora, ya puedas arreglar a la señorita.

La voz de su madre le llegó desde lejos. Se mezcló con los poemas de su padre y con un fandango de Huelva, el que solía cantar el guarda mientras regaba las plantas.

—Los gitanos son primores, los gitanos son primores y le hacen a la Joaquina en el pelo caracoles, ole, ole y ole y ole.

El alboroto aumentó con el ritmo de un zapateo. Alguna de las criadas estaría bailando las coplas de Marciano. Lo más probable es que fuera Joaquina. Y nadie le ordenaba volver a sus quehaceres. Isidora entró en ese momento en el dormitorio, con una jarra de agua tibia, una pastilla de jabón, una esponja y una toalla.

—Diles que estamos de luto, Isidora.

—¿A quién?

—A Marciano, y a la que esté bailando con él.

—Ande, señorita, que ha quedado usted traspuesta y se está soñando.

—La del taconeo será Joaquina. Y le tenía mucho cariño a Felisa, pero es incapaz de dejar quietos los pies cuando Marciano canta un fandango.

—Aquí todos la queríamos bien, señorita Aurora. Despierte, que la duermevela hace verdades con lo que uno se sueña. Ande, venga conmigo a la jofaina que la voy a asear.

La enferma abrió los ojos. Isidora se acercaba a ella.

—No se escucha nada, ¿lo ve? Quién iba a tener ganas de murga habiendo pasado lo que ha pasado. Que Dios la tenga en su gloria. Ande, señorita, que traigo agüina muy rica que la va a despejar.

Sin dejar de hablarle, Isidora la tomó por los hombros para incorporarla y la ayudó a levantarse de la hamaca.

—Del caño de abajo me la he subido esta mañana, que ayer la del pozo andaba turbia. La he calentado al sol en una tina. Y por dos veces la he colado, una al llenar el cántaro y otra luego después en el aguamanil, por si un acaso alguna sanguijuela se me hubiera escapado. Ande, haga una poca de fuerza, que la voy a quedar a usted la mar de fresquita antes que se siente otra vez ahí y le arregle la alcoba.

La enferma se dejó lavar y peinar. Isidora le cambió el camisón y la bata; la roció con agua de colonia de aroma a limón, la sentó en la mecedora y le acarició las mejillas.

—Déjese ya ese extravío, que de tanto buscar a la Felisa allí enfrente acabará por encontrarla, y no habría de verla nunca más. No se deje a la pena, criatura, y rece por ella, que la pena sola no le vale a las ánimas.

De nada servían las palabras. Isidora arregló el dormitorio en silencio. Barrió y limpió el polvo. Antes de terminar de fregar el suelo, notó cómo la enferma retiraba la mirada del pórtico, giraba la cabeza y prestaba oídos a unos pasos que se acercaban.

—¿Qué hora es, Isidora?

—Dieron las diez.

—¿De la mañana?

—Claro, de la mañana.

—¡Qué raro!

Isidora iba a preguntarle qué le parecía raro, cuando vio los zapatos de la señora y los del señorito, a los que no había oído entrar. Alzó la vista del suelo. Iban con el médico. Los tres con la preocupación marcándoles el rostro.

—Deja eso, Isidora. Y sal, ya te avisaré cuando puedas volver.

—Como usted mande, señora.

Doña Carmen esperó a que la sirvienta abandonara la habitación antes de tomar la palabra.

—Aurora, el doctor Palacios viene a despedirse.

—¿Qué?

—Sí, hija.

La madre le acarició el pelo, se inclinó para besarle la frente y le cogió la mano.

—No te asustes, a nosotros no nos va a pasar nada. No hay por qué tener miedo.

—Miedo, ¿de qué, mamá?

Le hablaba a ella, pero miraba a su padre. Y éste, a su vez, se dirigió a su hija mirando a su mujer.

—Tu madre tiene razón. No nos pasará nada. En poco tiempo, todo volverá a ser como antes. Por fin alguien tiene redaños. Por fin.

—Papá, ¿qué pasa?

—Se ha sublevado el ejército.

—¿Y eso qué tiene que ver con Andrés?

El médico pidió a los Albuera que le dejaran a solas con la enferma. Ellos se consultaron uno al otro con la mirada, desconcertados.

—Se lo ruego, es sólo un instante.

Al cabo de un momento, salieron los dos al pasillo sin pronunciar palabra. Una vez fuera de la habitación, la madre comenzó a murmurar.

—¿Quién nos iba a decir que el doctor Palacios estuviera con la República?

—Calla, que te puede oír.

«Queridísimo padre, amadísima madre: Me alegrará que a la llegada de ésta se encuentren bien, yo quedo bien gracias a Dios.

La presente es para contestar a la suya, que le debo.

Decirle que me voy al extranjero a buscar trabajo. Y que no pienso volver al pueblo. Usted sabe bien por qué. La señora me lo ha contado todo, así es que le ha evitado a usted ponerme al corriente. Decirle que no la juzgo, ni a padre tampoco, sus razones habrá tenido para hacer lo que hizo y los hijos no deben juzgar a los padres, ni pedirles cuentas. Aunque me voy con una mentira arrastrada en tantos años, y en tantas cartas, no la juzgaré nunca, madre, y tampoco le pediré cuentas de cómo pudo escribirme las suyas. Ni a padre le preguntaré por qué le mandaba que me dijera cuánto me echaba en falta. Decirle que si me las mandó para mantenerme ignorante de todo, y que no le preguntase nada a la señora, le ha salido mejor que eso. Porque a mí me han servido para mucho más, las he leído y releído cientos de veces, cuando me daba la pena de estar solo, y me acompañarán hasta el día en que deje de creer que usted me quiso, aunque sólo fuera durante los cinco años que me tuvo a su lado. Yo se las agradezco, que es de hijo bien nacido el agradecer.

Decirle que cuando usted reciba ésta, yo me habré ido ya. La voy a echar en el buzón justo antes de coger el tren, de forma y manera que no se moleste en contestar porque se la van a mandar devuelta. No le dejo las señas a las que voy, y así usted no se verá en el aprieto de buscar explicaciones y decírselas a Catalina para que ella me las escriba, que yo no se las pido. Siga guardando su secreto, madre, que de mi boca no saldrá, esté tranquila.

Perdone usted, señora Catalina, son cosas de familia y en familia deben quedar.

Y ahora, madre, me queda despedirme de usted, y de padre. Que Dios les conserve la salud.

Decirle también que no tengo corazón para dejar de quererla, y a padre. Y que la vida enreda con sus vueltas y a lo mejor me lleva a escribirle cuando me recomponga, o me lleva al pueblo algún día.

Reciba un abrazo que le mando con ésta, y otro para padre.

De éste, su hijo amantísimo que lo es.»

Después venía el nombre del hijo de la Isidora. Mi Catalina era incapaz de leerlo, porque lo estampaba en mitad de un garabato que lo tapaba entero. Ella decía que no era menester distinguirlo, que bastaba con reconocer la firma, y ésa se reconoce porque siempre es la misma. Yo pongo una cruz. Ya ve usted qué cosa más rara, porque el Tomás hace igual. Y no hay hijo de vecino que diferencie su cruz de la mía.

Pero ahí no se acababa la carta, señor comisario.

Más abajo escribió una P y una D, que quiere significar un añadido.

«Señora Catalina —decía—, me despido también de usted y le doy las gracias por las palabras que he recibido de su parte en todas las cartas que le escribió a mi señora madre. Y por las historias que me contaba cuando era chico, después de enseñarme las letras. Nunca le he preguntado dónde aprendió usted tantos cuentos, y nunca los olvidaré. Decirle que le diga al señor Antonio que tampoco me olvidaré de las veces que me llevó en su burro hasta el final del pueblo, encima de las alforjas llenitas de cántaros. Y decirles que Dios los bendiga.»

SEGUNDA PARTE

El anuncio de la guerra afectó de muy distinto modo a los miembros de la familia Albuera. Los padres acogieron la noticia con júbilo al pensar que el orden monárquico sería restablecido en poco tiempo; mientras, su hija mayor se sumía en una crisis de llanto por la marcha de su prometido al frente, y el inevitable retraso de su matrimonio, y la pequeña incorporó la marcha del doctor Palacios a su tristeza por la muerte de Felisa. Para la enferma, la guerra suponía esperar a que acabara la guerra, esperar con impaciencia las cartas que le enviaba el médico desde diferentes provincias, cada una desde un lugar más lejano, según fueran cayendo las plazas que se mantenían fieles a la República.

La primera carta enfureció a Victoria. Ella había visto llegar a Zacarías, y corrió a su encuentro sonriendo, convencida de que era su novio quien escribía. Pero la sonrisa se le cayó de los labios al recoger el sobre que le entregó el cartero, y al leer el nombre de Aurora y el remite del doctor Palacios. Se sintió humillada por haber corrido, por haber dejado de sonreír, y por haber sonreído. Buscó a sus padres y les mostró la carta.

—Mirad, esto es indignante. ¿Vais a consentir que un republicano mande cartas a esta casa?

La animadversión contra su hermana aumentó en el momento en que su padre le recriminó su tono de voz. Y creció aún más cuando su madre le explicó que el doctor Palacios les había pedido permiso para escribir, que ellos se lo habían dado convencidos de que la correspondencia sería un estímulo para la enferma, y le ordenó que le llevara la carta a su habitación.

—A Aurora le vendrá bien pensar en otra cosa que no sea la muerte de Felisa.

Victoria entregó aquella primera carta a su destinatario. Interrumpió bruscamente el rosario que su hermana rezaba con su tía Ida, y bajó luego la escalera jurándose que nunca más volvería a correr hacia el cartero. Y cumplió su juramento. Cuando Zacarías se acercaba al cortijo, ella lo esperaba en la entrada, lo escuchaba vocear los nombres que traía en su saca y, si ninguno era el suyo, se retiraba. Sin saberlo, comenzó a competir con su hermana, aunque su hermana tampoco lo supiera.

El bullicio de los preparativos de su boda se había convertido de pronto en un desconcierto general. Victoria asistía desolada a la transformación del ambiente festivo de «Los Negrales». El día que el médico se marchó, escuchó entre sollozos la noticia de que el convento había sido quemado y saqueado. El altar donde se celebrarían sus esponsales, convertido en un montón de escombros. Sus sueños de boda se derrumbaban uno a uno. Las monjas huyeron, abandonando tras de sí las guirnaldas de flores que habrían de adornar la capilla. Todos se marchaban. Y se marcharon también la mayoría de los hombres que habitaban las viviendas de la aparcería y los que trabajaban las tierras; casi todos los jornaleros del cortijo y muchas mujeres. Isidora fue una de ellas, se incorporó a la milicia con Modesto, el hombre con el que iba a casarse; y con Marciano, el marido de Joaquina; y las dos dejaron de coser su vestido de novia.

Los invitados que habían llegado a «Los Negrales» con la intención de pasar en familia los días previos a la ceremonia también se sumaron a la desbandada general. Tan sólo se quedó la hermana pequeña de doña Carmen con sus tres hijas, a la espera de saber algo de su marido, que la había llamado desde Pamplona diciendo que la situación era muy peligrosa y que no se moviera de allí hasta que él fuera a buscarla. Doña Ida permanecía atenta a la radio, como todos, y se sobresaltaba ante las continuas llamadas telefónicas.

Había pasado una semana desde el comienzo del conflicto cuando sonó el timbre del teléfono a primera hora de la mañana. Doña Ida se levantó de la cama y salió en camisón al pasillo. Pero su hermana había cogido ya el auricular.

—¿Es Fede?

—No. No es Fede.

—¿Quién es? ¿Le ha pasado algo a Federico?

—No, Ida, déjame hablar que no oigo nada.

—¿Seguro que no le ha pasado nada a Federico?

—Seguro. Vuelve a la cama, ya verás como pronto pasa todo esto.

—Gracias a Dios.

Las noticias que eran buenas para unos eran malas para otros. Y la certeza de que el desastre se prolongaría más de lo que habían pensado llegó con los primeros muertos. Cada uno lloraba a los suyos.

—Me voy a volver loca, Carmen.

Doña Carmen escuchaba a su consuegra, la marquesa de Senara, que cuando pudo controlar el llanto, le contó que se habían llevado a su cuñado y a sus sobrinos de madrugada.

—Dicen que los han fusilado a los cinco.

—¿Pero quién lo dice?

—Todo el mundo lo dice.

Y le contó también que su marido había caído prisionero. Y lo habían encerrado en la parroquia.

—Han ido buscando casa por casa, a los monárquicos, y a los que hayan hablado alguna vez contra el gobierno. Los van a matar a todos. A todos.

Mientras hablaba, se oían detonaciones procedentes de la iglesia, situada en la mitad izquierda de la plaza Mayor, a menos de cien metros de su casa.

—¿Oyes eso?, les están tirando bombas dentro.

—Jacinta, no te pongas en lo peor. Serénate, que vas a despertar a las niñas y no deben verte así.

Presa de una desolación que le impedía continuar hablando, la marquesa colgó el teléfono. Al mismo tiempo, dieron tres golpes en la puerta trasera de su casa. Ella no los oyó. Pero la hija de Quica, su lavandera, la única de sus sirvientas que no se había marchado a la milicia, esperaba asustada el regreso de su madre, que había salido a comprar unas barras de hielo y aún no había vuelto.

—La puerta falsa. Ésa es mama.

Sentada en el umbral de la cocina, en una silla baja de costura, la niña miraba fijamente el portón sin atreverse a ir a abrir. Los golpes volvieron a sonar y buscó a la marquesa. La encontró junto al teléfono y le dijo que estaban llamando, en voz baja, como había que hablar cuando alguien dormía en la casa. La señora no la escuchaba, y ella le tiró de la manga, volvió a decirle que estaban llamando y preguntó si la dejaba abrir. Doña Jacinta no contestó, y Catalina repitió la pregunta.

—Señora, ¿me da usted su permiso para ir?

—Anda, vete, déjame un momento sola.

La hija de Quica entendió que le daba permiso. Y corrió hacia el portón. Cuando atravesaba el patio, el rebote de una bala contra la pared la alcanzó en una mejilla. Los disparos procedían del campanario de la parroquia, y la pequeña continuó oyéndolos después de taparse la cara. Se agachó. Y seguían disparando.

—Señora, que me han matado.

Miraba la sangre. Ovillada en el suelo, paralizada ante el sonido de los proyectiles, no sentía dolor, pero la sangre le empapaba las manos.

—Que me han matado.

Y seguían disparando. Cuando la marquesa acudió a sus gritos; cuando sintió que la cubría con su cuerpo en mitad del patio; cuando la llevó a la carrera para esconderse, casi en volandas; cuando la abrazó detrás del pozo y cuando le apartó las manos de la cara, siguieron disparando.

—Déjame ver, Nina.

—¿Me han matado, doña Jacinta?

—Bendito sea Dios. Es un arañazo nada más. No te lo toques.

Doña Jacinta recuperó la calma al comprobar que el escándalo de sangre era sólo una incisión, profunda pero limpia. El corte le abría en dos una mejilla. La bala había pasado de largo, hiriendo como punta de cuchillo. La marquesa presionó los bordes de la herida con su pañuelo para frenar la hemorragia mientras intentaba consolar a la pequeña.

—Sana sanita culito de rana. Si no se cura hoy se cura mañana.

Los golpes de la puerta trasera volvieron a oírse. La niña hizo ademán de levantarse. Y volvió a gritar.

—Mama. Mama, que me han dado un tiro.

—No, quieta, yo abro. Tú quédate aquí. Y no llores. Sujétate el pañuelo. Así, apretando un poquito. ¿Te duele?

—No, señora.

—¿Ves? Anda, no llores. No querrás asustar a tu mamá por una pupa de nada, ¿verdad?

Nunca hubiera pensado que el patio fuera tan grande. La marquesa miró hacia el cobertizo que techaba la entrada. Temió la enorme distancia que debía recorrer para cruzar la otra mitad del patio. Las armas. Los puntos de mira. Los ojos. El campanario.

—No te muevas de aquí. ¿Me oyes?

—Sí, señora.

—¿Me lo prometes?

Sin dejar de hablar a la niña, avanzó a gatas lo más aprisa que pudo.

—No te muevas de ahí. No te muevas.

Vaciló antes de ponerse en pie bajo el cobertizo. Aún a gatas, se giró hacia el patio para asegurarse de que estaba fuera de tiro. Comprobó que la niña seguía agazapada. La vio temblando junto al pozo, con las rodillas dobladas, sujetándose el pañuelo en el rostro. Y confió en que fuera su madre la que volvía a golpear el portalón por tres veces.

—No llores, Nina, no llores. Ya verás como es tu mamá.

Pero no era Quica la que llamaba con insistencia.

Un hombre salido de las llamas de algún infierno la miraba a los ojos. Algunos mechones quemados colgaban de su frente, jalonada de unos pocos restos chamuscados de lo que había sido el cabello. Semidesnudo, con el rostro ennegrecido y la escasa ropa que le quedaba hecha jirones humeantes, avanzaba hacia la marquesa. Ella dio un paso atrás y él le extendió una mano.

—Soy yo.

La voz era la de su marido. Doña Jacinta achinó la mirada en un intento vano por reconocerle, y dio otro paso hacia atrás.

—No te asustes, Jacinta. Soy yo.

Sí, la voz sí. Era su voz.

—¿Julián?

No será verdad, señor comisario. Eso es un desvarío. ¿A quién se le ha podido ocurrir semejante infundio?

Claro que le acompaño, faltaba más. Y por el camino me lo va contando. Aguánteme usted, mientras me planto el chaleco y la camisa amarilla, que no quiero entrar allí hecho un farragua.

En un momento estoy, en cuanto me ate las alpargatas.

Vamos.

Por descontado que puedo andar hasta el coche, ¿no me está viendo? Pero hágame el favor de no ir tan ligero, que aunque llevo garrote no tengo tres patas, carajo. Y siga usted con lo que estábamos.

No me entra a mí, señor comisario, que se dé rienda a una pobre mujer que acaba de dar sepultura a sus muertos. Y nada más y nada menos que a cuatro de una vez.

¿Eso ha dicho? ¿Que vio a mi Paco rondando esa noche por el cortijo?

Anda castañas.

¿Y usted se lo ha creído?

Si ya lo decía mi padre, que las mujeres se arreglan ellas solas en el arte de confundir al más pintado, con ese empeño que ponen en hacer lo blanco negro. Se las arreglan que da gusto.

¿Y se puede saber por qué la señorita Aurora ha caído hoy en una cuenta en la que no cayó ayer?

¿Quién?

¿El que le lleva los pleitos le ha hecho caer?

Habráse visto. ¿Y no le ha dado a ése por dar cuenta de dónde andaba antier noche?

Pues que se lo diga.

Qué leche le voy a contar yo, señor comisario. Lo que yo sé ya se lo he dicho. Y lo que me figuro se queda para mis adentros. Pero si ella mete por medio a mi Paco, yo le meto a don Carlos, para que siga usted buscando.

Tírele a él de la lengua, que la mía no se hizo para estas enjundias. Yo sólo le digo que vaya usted con tiento y no se confíe en lo que le diga uno solo, que se precisan dos pies para un mismo paso.

No, si contra usted no va la inquina. Lo que me envenena es que no le hayan contado también que desde que mi santa se puso a servir en esa familia, desde el primer día, ni ella ni nadie de los míos ha mirado mal a ninguno de los suyos. Y la señorita Aurora habría de saberlo, que cuando se casó le bordó mi santa un mantel con un montón de ramos de colores y las primeras letras de sus nombres, el de ella y el de su marido que se llamaba Manuel, apretaditas las dos dentro de un corazón. Nadie los ha mirado mal, señor comisario. Y mucho menos mi nieto, que sólo ha entrado en el cortijo cuando ellos no estaban. Oiga usted, ¿no le habrán pegado?

Ya sé que las cosas no son como antes.

Sí, señor, cuando los señoritos se iban para la capital. La Nina se lo llevaba porque él quería ver la casa por dentro.

A limpiar, ¿a qué iba a ir?

Aunque no estuvieran. Había muchas cosas que hacer. El cortijo no se cerró hasta que el señorito Agustín se dio de bruces con la chumbera. Y las fijas tenían de sobra con mantener cada cosa en su sitio. Hasta le cambiaban el agua a los cántaros, para que estuviera siempre fresca. Había que tenerlo en condiciones por si los señores avisaban que iban venir, o venían sin avisar. Mi Catalina subía a diario, y se llevaba al nieto muchas veces. Yo no sé por qué lloraba mi Paco cuando le agarraba la mano a su abuela. Nunca lo pude entender. Pero se callaba en cuanto yo le decía que llorar era cosa de cobardicas.

De chico, ¿cuándo iba a ser? La parienta se lo llevaba para arriba y él jugaba con los trastos que dejaban allí los señoritos.

Espadas que parecían de verdad, no como las que se hacía mi Paco con dos palos amarrados con guita. Y arcos con flechas. Y repiones casi nuevos, y bolindres de colores, y soldaditos con uniforme, de cuando Napoleón lo menos. Un buen manojo de juguetes dejaban aquí, que en la capital tenían más. Y también un caballo de madera con las pezuñas apoyadas en un hierro que costaba unos cuantos duros, lo podían montar y todo, y lo movían como las barcas de la feria. Mi Catalina decía que no era de buen cristiano dejar sin uso lo que Dios te pone al alcance, y que cuanto más perras valiera el dispendio más grande era el pecado, y a ella no le gustaba bastante eso de ir contra la madre Iglesia.

De fijo. Los dos disfrutarían de lo lindo, ella viéndolo enredar y él enredando. Lo que yo hubiera dado por verlos al través de una rendija. Y antes de volver para casa, la abuela llenaba la faltriquera del nieto con los caramelos que los señoritos no se habían comido. Y él arramplaba con algún que otro bolindre, que lo veía yo jugar al gua en el corral.

Como se lo digo.

Suba usted, que ya me acomodo yo.

Deje, que se le van a mojar los pies.

Recontra, aquí queda uno como encajado y no me da la mano para cerrar la puerta, tenga la bondad de darle un empujón, señor comisario.

¿Decía usted?

Empapaítos los tengo, sí, señor. Y hoy también hace un frío que pela.

¿Tendrá bien de mantas, verdad usted?

Mi nieto.

¿Y de fijo que no le habrán dado una paliza?

¿Ni un golpe siquiera?

No me he criado yo en dos días para que venga usted a contarme que las cosas han cambiado. Las cosas sí, pero la gente es la misma. Y la otra vez me lo devolvieron destrozaíto, aunque ya hubieran cambiado las cosas.

Mañana no quedará nada, pero ha cuajado más de lo

que pensábamos que iba a cuajar. ¿No sería mejor ir andando?

Largo queda, sí, señor, pero yo me sé un atajo. Por este camino no sé, que yo por aquí no he ido nunca, pero por el de la Huerta Honda se adelanta un buen pedazo. Y por el que aproxima a la frontera, lo mismo. Estaríamos en nada y menos en el cuartelillo si hubiera cogido de ese lado.

Otra vez está nevando, mire, señor comisario.

¿Quién, yo?

¿Y por qué iba yo a tener miedo?

No, señor, yendo con usted, a mí no me amedrentan los civiles. Y si usted me jura y perjura que a mi nieto no le van a hacer nada malo, ¿qué había de temer?

Si usted lo dice, no seré yo quien lo niegue. Y le digo más, se lo doy por cierto.

El susto que me ve en la cara, eso es lo que le doy por cierto.

Por la nieve, que por aquí no tenemos costumbre. Vaya con cuidado que hemos de llegar enteros y está el suelo muy resbalizo.

Oiga, que es usted quien lleva el volante, y es usted el que precisa ir tranquilo.

Verá, no quiero que me tome por lo que no soy. Aun viejo, templo bien los machos. Pero para qué negarlo, qué leche, se lo voy a decir sin más vueltas. Es que en la vida me había montado yo en un vehículo. Ni en nevando ni sin nevar.

No digo que no guíe usted la mar de bien, pero ¿no corre sobrado?

Si así ha de ser, así será.

¿Falta mucho?

Yo podría llevar más sosiego, sí, señor. Si no fuera porque me está dando un barrunto.

Que vamos a llegar con unos cuantos huesos partidos. Y eso, si es que llegamos. Tenga usted en cuenta que mi nieto sólo me tiene a mí.

Usted está requeteseguro de que lo vamos a encontrar sin daño, ¿verdad?

¿Aquí?

Pues aquí me agarro. Me estoy mareando, señor comisario. Qué fatiga me está entrando en las tripas. Ay, Meloncina, qué razón llevabas, bien cargada de razón has estado siempre, que la velocidad es un mal parto del diablo. Así era el vahído que te dio a ti de chica, ¿verdad, Meloncina?

Disculpe el extravío, señor comisario. Ahora no estaba hablando con usted. Estaba hablando con mi Catalina, que en paz descanse. Ella también montó en coche, cuando la guerra, un trecho ni corto ni largo, pero arrojó todo lo que llevaba en la barriga. Se puso tan descompuesta que juramentó no volver a subir en un tiesto semejante ni aunque estuviera parado. Y mire usted que ella no se arredraba ante nada, pero no volvió a subir, por mucho que lo viera más quieto que la calavera de un difunto.

La llevaron al cortijo desde el pueblo.

Los marqueses, al poco de pasar lo de la iglesia, cuando se fueron a Portugal. Ella estaba en su casa. Y como la Nina había perdido al padre y a la madre, solita se había quedado la pobre, pues la pasaron donde los consuegros, que a la señora se le marcharon de milicianas dos o tres muchachas y le venía bien.

Lo de Meloncina se me ha escapado sin querer. De esa manera la llamaba yo, pero bajino, y sólo cuando estábamos encamados. Si llega a enterarse que lo he dicho en alto, tenemos alicantinas para rato. Y ahora que caigo, otra vez se me ha escapado.

Es que los melones se catan, y su nombre era Catalina.

Le pintaba más de lo que usted se figura.

Porque llevaba un tajo en la cara. Y la tenía redonda y dulce. Y olía a gloria bendita.

Las tropas sublevadas redujeron a los milicianos que se habían hecho fuertes en el campanario de la iglesia parroquial. Los últimos hombres cayeron desde la torre abatidos por las balas del ejército rebelde. El pueblo entero estaba dominado, y los vecinos comenzaron a salir de sus casas mirándose unos a otros, temerosos aún ante la calma posterior a la batalla. Una calma relativa y dudosa, amenazada por las explosiones de las bombas que podían oírse desde el frente del sur, muy cercano, demasiado cercano; y por los disparos procedentes de la tapia del cementerio, que interrumpían el silencio de las calles, dominando el recelo de todas las miradas y acompañando a los murmullos, y al llanto, cuando los nombres de los muertos pasaban de un oído a otro, apenas susurrados.

—El Bernardo, y la Manuela.

—Y el Marciano.

—Yo me he encontrado hace un rato a la Joaquina, que bajaba con la Justa del cortijo, llorando las dos.

—Dicen que los han matado en la plaza.

—Y que los han toreado, ¿será?

—O no será

—Cualquiera sabe.

—Y que no dan su permiso para darles entierro, y que los van a quemar, que son ateos y no merecen cristiana sepultura.

—Y porque dicen que son los que metieron candela a los santos.

—¿No os llega el olor a turrado?

—Dicen que no ha durado ni dos horas.

—Pues se llevaron a más de cientos.

—Los de Villanueva se hicieron fuertes en la Casa del Pueblo.

—Sí. Yo he oído que la Elisa, la maestra, y el Fino se salvaron por eso.

—Lo mismo que la Pepa, la de la tahona que hace los molletes tan ricos.

—¿El Fino y la Elisa son esos que dejan a los chiquillos que se bañen en su alberca?

—Los mismos. Y a los grandes también los dejan.

El grupo de mujeres formaba un corro en torno a un puesto del mercado de abastos, se acercaron a la que despachaba y juntaron sus cabezas para oírla mejor. Ninguna de ellas advirtió que se acercaba Quica, que no se separaba de su hija desde que le habían disparado y la llevaba de la mano, con la mitad del rostro cubierto por una venda. Habían salido de casa temprano, Quica prefería acabar una colada en casa de doña Jacinta antes de hacer el mercado. Se había despedido de su marido al amanecer. Lo había visto marchar con una escopeta hacia el monte. Para matar unas cuantas liebres dijo que la llevaba, pero ella sabía que no iba de caza.

—Al compadre de mi Paco y al vecino que vivía puerta con puerta los sacaron a la calle para que todos viéramos que llevaban la señal de la culata.

—Pues ésos han ido directos al cajón. Ésos no vuelven.

—Dios nos coja confesados.

—Amén.

—Jesús.

—El Candi, el de la Rosa, se ha tirado al monte.

—¿Cuál Candi?

—El de la taberna El Eucalipto, cucha, que no te enteras.

—El Juanma y el David, los hijos de la Angelita, la de Sanlúcar, se han tirado al monte también. Y el Pascual. Y la Ángela se ha ido con él a seguir la lucha, ni corta ni perezosa.

—Lo mismo que la Paca, que salió del brazo del Santi el ramos, y se largaron los dos para el monte más chulos que un ocho.

—Y el Ángel, el que se fue con la Juana a echar una mano a los que trajeron el teatro al frente del sur. Y el Enrique el barbas, el hortelano que dijo que si se perdía este pueblo se afeitaba.

—¿Y se ha afeitado?

—Coño que si se ha afeitado, más esquilado que un borrego se ha ido para el monte con Pepe el brochas, el de la Mari Chari, la molinera de El Tejar.

—Ésos se vuelven para América, chacha.

—Lo mismo, vete tú a saber. Y sería una lástima, porque anda que no se come bien en el molino. ¿Os acordáis del último convite?

—¿No nos vamos a acordar?, pues claro, fue cuando les nació la Ana.

—Al José, su compadre, no le dio tiempo, lo agarraron cuando se iba y se lo han llevado.

—Y al matarife. Y a Antonio, el Cántaro.

—Y al padre de la niña que tiene un tiro en la cara.

—¿El marido de la que lava donde la marquesa?

—Ese mismo.

—El de la Quica.

A pesar de que lo pronunciaron en voz baja, Quica oyó su nombre, y se acercó a preguntar. Una de las mujeres se llevó a la niña al puesto contiguo y la entretuvo mostrándole los pollitos recién salidos del huevo que piaban en una caja de cartón. Quica escuchó a las demás, interrumpiéndose unas a otras intentaban eludir las palabras definitivas que harían palidecer a la lavandera.

Con su capacho de esparto colgado al brazo, juntando los bordes para que no se escaparan las compras que ya había hecho, Quica corrió hacia el cementerio arrastrando a la niña de la mano. Rezaba, con la esperanza de que todo fuera un error. No podía ser cierto.

—¿Dónde vamos, mama?

—Padrenuestro, que estás en los cielos, santificado sea tu nombre; venga a nosotros tu reino; hágase tu voluntad así en el cielo como en la tierra. Y no permitas que ésta sea tu voluntad. No lo permitas, Padre nuestro, santificado. Santificado sea tu nombre. No permitas que sea tu voluntad, venga a nosotros tu reino. Santificado sea tu nombre. Padrenuestro que estás en los cielos.

—¿Dónde vamos?

—Padrenuestro que estás en los cielos. Santificado sea tu nombre. Reza conmigo, Nina.

La niña jadeaba, intentando abarcar con dos pasos cada uno de los que daba su madre. Habían llegado ya al camino de cipreses cuando se encontraron con la mujer del alfarero, que iba de regreso con su hijo.

—Lourdes, ¿has visto a mi Pablo?

Quica apretó sus hombros, la zarandeó buscando con su mirada sus ojos extraviados.

—¿Has visto a mi Pablo?

—A nadie he visto.

Apenas escuchó la respuesta, Quica acercó la mano de su hija a la de Lourdes y le rogó que la llevara a casa de los marqueses. La niña protestó, pero su madre ya le había soltado la mano, y reanudaba su carrera rezando de nuevo, apretando contra su pecho una medalla que llevaba al cuello.

—Santa María, Madre de Dios. Virgencita mía de Guadalupe, ruega por nosotros y no permitas que sea su voluntad.

La mujer del alfarero sujetó con fuerza a la niña, y le gritó a la madre que no fuera hasta la tapia. Le gritó una vez, sólo una vez. Y luego se quedó mirándola.

—También ella tiene derecho.

Nadie podría detenerla. Quica no paró de correr hasta que no llegó a la tapia exterior del cementerio. Y pudo ver cómo unos soldados con turbantes manipulaban sus palas. Y pudo ver cómo arrojaban cadáveres a una fosa. Restos de cuerpos calcinados. Todos los restos juntos, de todos los muertos.

Sus alaridos alcanzaron a Lourdes, que se detuvo a tapar los oídos de la niña con sus manos.

—Tiene todo el derecho.

No hay palabra que se diga en balde, señor comisario. Y todos los motes tienen su porqué. Aunque lo de Meloncina no era propiamente un mote.

Era una palabrita.

Una palabrita que yo le decía cuando me arrebujaba en ella. Y de la que únicamente mi Catalina y yo teníamos conocimiento. Eso no es un mote.

¿A usted no le han puesto ninguno?

¿Nunca?

¿Y no será que usted no lo sabe?

También es verdad, al fin y a la postre se acaba sabiendo. A mí me apodaron el Piche por ser hijo de mi padre, el Cántaro.

Él me enseñó a levantar el barro. A mis poquitos, redondeaba los piches y les daba forma a los pitorrinos y todo. Aunque me salían tan canijos como yo, que era bien chico cuando empecé en el oficio. Y nada más faltar mi padre, mi madre se puso al torno y yo cocía las piezas, pero al cabo de un par de años o tres ya me daba a mí todos los cargos.

Tiempo es de que se hubiera enterado ya de que por estas tierras los botijos también se llaman piches, que tres meses dan para largo, rediez.

Ahí le doy la razón, desde que se inventó el plástico valen casi de adorno; o desde que entraron el agua a las casas, qué sé yo. Ahora sólo los compran los viajeros. Ya ni me acuerdo de cuando se veían las cantareras en todas las cocinas, con sus dos cántaros. Las mujeres iban al caño de abajo a llenarlos, porque decían que el agua llevaba menos sanguijuelas. Allí me puse yo de novio con mi Catalina.

La conocí en el camino del cementerio, el día que nos mataron a todos un poco. Ésa fue la primera vez que la vieron estos ojos. Me asomé por delante de las rodillas de mi madre, que nos llevaba a los dos de la mano, y le pregunté por qué llevaba una venda en la cara. Ella me dijo que le habían dado un tiro, y a mí me entró una impresión muy grande, grandísima. Entonces yo la quise consolar y ella dijo que no le dolía, y que me callara. Y yo me callé. Pero la miraba mucho. Y ella se dejaba mirar. Luego, después que la llevaran al cortijo, la veía pasar a diario sujetando un cántaro en una cadera y un botijo en la mano contraria. Andaba con un dengue, como quien no quiere la cosa, sabiendo que yo la miraba y sin dejar ver que lo sabía. Con la vista fija al frente, sin un solo pestañeo, hacía un quiebro con los hombros para llevarse las trenzas a las espaldas. Arte. Arte y salero. Y no crea usted que los perdía de vuelta con el peso que llevaba del agua rebosando, qué va. Le daba un meneo al cuerpo, con cada paso que echaba para alante se le escapaba una salpicadura detrás. Un reguero en el camino dejaba. Iba toda vestidita de negro, por el luto de su padre y de su madre, pero tenía un punto de comparación con el angelino de la casa de los marqueses, el que hay en mitad de una fuente, de mármol blanco, con una venda en los ojos. A mí me daba vergüenza hablarle, porque era mayor que yo. Y porque cuando la conocí y la quise consolar ella no me hizo ni puñetero caso, siempre fue muy suya. Pero seguía mirándola mucho, y a cada instante con ojos más golosinos, porque ella me provocaba, ¿sabe usted?

Como provocan las mujeres, dejándose mirar. De forma y manera que, en la misa de cabo de año que encargó mi madre por mi padre y por los padres de la Nina, yo clavé mis ojos en ella y no los desclavé hasta que salimos de la iglesia. La Isidora le dio un empujoncino cuando llegaron a la calle Mayor y le dijo que mirase para alante si no quería caerse, porque mi Catalina tampoco dejaba de mirarme. Y desde entonces, lo que vieron mis ojos no lo vieron más que por esos ojos.

Casi tres años pasaron hasta que nos pusimos a hablar. En el caño. Yo tenía trece para catorce, pero era buen mozo, y ella acababa de cumplir los quince, y fue siempre bien menudina, parecía más chica que yo. Le canté por fandangos mientras llenaba el cántaro. Con el contento de que había acabado la guerra se me pasó una poca de la vergüenza.

Ése que va y dice: Qué bonita está la parra con los racimos colgando, más bonita está la niña de catorce a quince años.

Entonces lo cantaba bien. Me sabía un montón de

131

ellos. Todos robados. Yo los escuchaba cantar y se me quedaban buenamente.

Total, que ella me ofreció un buche de agua de su botijo. Y yo lo bebí.

Los jueves y los domingos por la tarde estuvimos de novios, hasta que nos casamos. El 3 de marzo de 1942. Mi madre nos preparó su alcoba, la pobre. Y durmió en el jergón hasta que le llegó el día de no despertarse, como hizo mi abuela cuando ella se casó con mi padre, y como haré yo cuando mi nieto se case, si llego a verlo. La Catalina se puso de medio luto para la ceremonia, con un velo blanco prendido con flores. Y mi madre se alivió el duelo también, y se compró unos zapatos nuevos, por ser la madrina. La tendría que haber visto, andaba erguida como si fuera del brazo de mi padre. Y lloraron las dos por la ausencia de los que habrían tenido que estar allí, y no estuvieron. Pero fue un día muy sentido, en lo contento, no crea usted, los niños le pidieron perras al padrino y todo, a la salida de la iglesia, y el Modesto se las echó, como tiene que ser. Lo tendría que haber visto a él también, con el terno que llevó mi padre el día que se casó, que hasta el sombrero le quedaba pintado.

A la luz que tiren perras. A la luz que tiren perras. ¿Usted no lo ha escuchado nunca?

En una boda que se precie, o en un buen bautizo, el chiquillo que sea espabilado recoge unas cuantas del suelo.

Yo no había pasado los quince. Ni ella los dieciséis.

Ya ve usted, unos chiquilicuatres, pero la Catalina se preñó, y yo cumplí como un hombre.

El pánico del marqués de Senara por el suceso de la iglesia le llevó a considerar la posibilidad de abandonar el país. A pesar de que los pocos milicianos que quedaban se refugiaron en el monte cuando comenzaron las represalias, la familia no podía superar el miedo a que alguno de ellos regresara. Su hermana, la duquesa de Augusta, había tomado ya la decisión de marcharse, la tomó en el instante en que supo que su marido y cuatro de sus hijos iban a morir, cuando se los llevaron al amanecer, y los vio llorar abrazada al único hijo que le dejaban con vida. Necesitaba huir. Huir de las lágrimas que afortunadamente su hijo ciego no pudo ver. Ese llanto de su marido y de sus cuatro hijos, que la duquesa adivinó resignado, la perseguía por todas las calles de aquel pueblo al que no pensaba regresar jamás. En su residencia de verano, suficientemente lejos del horror, a doscientos cincuenta kilómetros más allá de la frontera, comenzaría su exilio, incapaz de borrar la imagen última de los suyos caminando en pijama hacia la muerte.

La misma tarde que escapó de morir en la parroquia,

el marqués de Senara movió todos los resortes que tenía a su alcance hasta que pudo saber la suerte que habían corrido su cuñado y sus sobrinos. En el momento en que se confirmó que habían sido asesinados, se lo comunicó a su hermana.

—Traerán los cuerpos inmediatamente, Amalia. Será muy duro para ti, si prefieres, pueden llevarlos a mi casa.

—Te lo agradezco, Julián, pero de aquí se los llevaron y quiero que vuelvan aquí.

Doña Amalia recibió la noticia como si ya la conociera. Acertó a decir que se marcharía después del entierro, y le propuso a su hermano que la acompañara.

—Vente conmigo, Julián. Allí hay sitio para todos.

Su hermana no cesaba en su intento de convencerle, le repetía a cada instante que aceptara su invitación, al menos por un tiempo. Le rogó que pensara en sus cinco hijas. Pero él temía por los dos varones, ambos alféreces provisionales en el frente del sur. Aunque el general al mando de las tropas, íntimo amigo suyo y padrino de su hijo mayor, le había asegurado que no los expondría a ningún peligro, las dudas le llevaban a postergar su decisión. Necesitaba serenarse y la insistencia de su hermana le creaba aún más inseguridad. Al regresar a su casa, se refugió en su despacho. Sacó el violín de su estuche y comenzó a tocar un réquiem. La música le ayudaría a reflexionar. Pero las notas de la melodía sacra que había escogido le devolvieron al interior de la parroquia. Escuchó de nuevo las detonaciones que se oían a su alrededor y sintió el olor de su propia carne quemada. Retiró el arco de las cuerdas y se apartó del atril. Se sentó en el sillón junto a la puerta de cristal que daba al pasillo, y vio cómo su mujer se acercaba.

—Han matado al marido de Quica. Ha sido una masacre, Julián, en la plaza de toros. Quica pregunta que si nos vamos, y dice que si se puede venir con nosotros que se viene con su hija, que casi tiene doce años, que es muy dispuesta y puede ser tan buena sirvienta como ella.

Las muertes de un lado y de otro acabarían por decidir la marcha. Y el encuentro con los Albuera, en el velatorio del marido de su hermana y de sus cuatro hijos.

Los féretros dibujaron su oscuro reflejo en los baldosines de la fachada azul cuando los sacaron de la casa. Doña Amalia besó uno por uno los ataúdes en el zaguán, y cuando los cinco estuvieron alineados en la acera, condujo a su hijo ciego hasta la caja que llevaba a su padre, ensimismada, sin dejar de mirar el brazalete que señalaba el luto en su antebrazo. Cinco féretros. Un solo brazalete. El joven cargó a su padre, y su madre siguió a la comitiva hasta la parroquia apoyada en el brazo de su cuñada Jacinta, la marquesa de Senara. Sus pasos se arrastraban al ritmo del tañido de las campanas, el redoble marcaba la lentitud de sus pies, tocando a muerto.

Después de la misa, de pie ante el altar mayor, la familia recibió el pésame de los presentes, que inclinaban la cabeza al desfilar ante los cinco féretros. Acabado el ritual, los hombres alzaron los ataúdes y los sacaron de la iglesia ante la mirada atenta de doña Amalia, para llevarlos caminando hasta el cementerio. Las mujeres se retiraron a la casa azul acompañando a la viuda, donde rezaron un rosario mientras las campanas continuaban doblando a muerto. Misterio doloroso.

Vestida de negro, como todas las presentes, doña Jacinta evitaba mirar a su cuñada. Mantenía sus ojos fijos en las cuentas del rosario, contestaba a los rezos sumándose al murmullo de las demás, y rehuía encontrarse con aquel rostro cuya serenidad no podía comprender. Acabadas las oraciones, las mujeres guardaron un largo silencio. Después, una doncella uniformada ofreció un refresco. Los vuelos de abanicos negros removieron el aire, las palabras dirigidas a los oídos más cercanos formaron los corros, aproximando las cabezas enlutadas de velos rigurosos, y dieron a la reunión el ambiente de un pésame.

—Y gracias a Dios, le ha quedado una fortuna.

—¿Sí?

—Sí. Los duques de Augusta han sido siempre riquísimos.

—Qué va. La que es rica es Amalia. El padre hizo fortuna en las Filipinas.

—Estás muy equivocada, el que hizo fortuna fue el padre de él.

—Pues yo siempre he estado convencida de que eran judíos de Toledo.

—Ése era el abuelo, que era prestamista.

Frases de condolencia pronunciadas a media voz. Gestos de compasión, y lágrimas de algunas de las mujeres que intentaban consolar a la viuda, que no lloró ni una sola vez. Doña Jacinta susurró a la señora de Albuera:

—No puedo entender la entereza de Amalia.

—Una dama, en todo. Y eso se nota, Jacinta. Una gran señora.

—A Pablo, el marido de mi lavandera, lo han matado esta mañana en la plaza de toros. Y a ella tampoco la he visto llorar.

—No compares, ellas no sienten como nosotros.

—¡Cómo no van a sentir!

—Mujer, sí sienten, pero a Marciano, mi guarda, lo han matado también y Joaquina ha llorado muy poco, porque sabe por qué lo han matado. Además, tienen los sentimientos muy primarios.

No quiso discutir con su futura consuegra. No quiso contestarle que los ojos de Quica se habían secado de la alegría que rebosaron siempre. Y optó por contarle que su cuñada había decidido marcharse a Portugal, y que les había propuesto que se fueran con ella.

—¿Y qué vais a hacer?

—Julián no se decide. Le preocupa dejar aquí a Leandro y a Felipe. Y a mí también, si les pasa algo y estamos tan lejos.

—No pienses en eso, mujer.

—¿Y si vuelven? ¿Cómo se van a quedar aquí solos?

Junto a la señora de Albuera se encontraba su hija mayor, Victoria. Acercó la cabeza a ella, y un extremo del finísimo velo negro que la cubría se enredó en el camafeo que su madre llevaba al pecho.

—Pero eso no es un problema, se pueden quedar en «Los Negrales». ¿Verdad, mamá?

Habló en voz muy baja, mientras intentaba desprender el encaje sin desgarrarlo, y sin dañar la joya que esperaba lucir en su vestido de novia, el camafeo que su madre le regalaría sólo después de la boda, y no antes, para que llevara algo prestado durante la ceremonia.

Los Albuera no dudaron ni un momento en acoger en su casa al prometido de su hija y a su hermano. El marqués aceptó el ofrecimiento y tomó la decisión de marcharse. Se lo comunicó a doña Amalia, y ambos acordaron que se irían de inmediato.

Todo estaba dispuesto para la marcha antes de que hubiera acabado la semana. Los marqueses de Senara tomaban café con doña Amalia y su hijo ciego en la salita de estar, y su chófer vigilaba en la calle los automóviles cargados de maletas.

Sólo quedaba esperar a Quica. La lavandera había ido con su hija al mercado a comprar provisiones para el viaje. Pero tardaba en volver. La marquesa miró el reloj de pared, dejó su taza en la mesita central, comenzó a dar vueltas al semanario que colgaba de su muñeca, repasando uno a uno los colgantes con los nombres grabados de sus hijos, y se levantó de su asiento. Su marido percibió su inquietud, y comenzó también a inquietarse.

—Jacinta, ¿le dijiste a Quica que nos íbamos a las doce?

—Sí, claro que se lo dije. Y ella es muy puntual, ya lo sabes. Tiene que haberle pasado algo.

La marquesa le pidió a su marido que se quedara acompañando a su hermana y a su sobrino, y salió de la salita de estar. Sus hijas mayores esperaban en el patio, la vieron acercarse hasta el cobertizo y regresar sobre sus pasos apretándose las manos.

—No sé qué le ha podido pasar a Quica, tenía que estar aquí a las doce.

Las jóvenes intentaron tranquilizar a su madre.

—Mamá, son las doce y media, tampoco hay que ponerse nerviosos por media hora.

Sus hermanas gemelas jugaban en la despensa con una balanza. Las risas de las pequeñas llegaban hasta ellas. Habían sacado sus gusanos de seda de la caja, y no encontraban la pesa exacta que equilibrara el fiel de la balanza. Añadieron las hojas de mora al platillo donde habían colocado los gusanos, añadieron también los capullos y gritaron las dos al unísono:

—¡Cuarto de kilo!

Y sus risas se convirtieron en carcajadas.

—Decidle a las mellis que se callen, por favor. Por qué la habré mandado yo a la plaza, precisamente hoy que nos vamos de viaje.

No tendría que haberla enviado sola al lugar donde se enteró de que habían asesinado a su marido. No debería haberlo hecho. Tampoco era tan necesaria la fruta fresca. Sólo hacía unos días que Pablo había muerto. Enviaría a alguien a buscarla, a lo mejor se había impresionado por volver allí.

—Señora marquesa, que han cogido a mama.

Doña Jacinta escuchó claramente la voz de la hija de Quica. Salió a la calle, seguida de sus hijas mayores. Las gemelas, al oír el alboroto, corrieron tras ellas.

—Señora marquesa, señora marquesa.

La hija de Quica corría gritando hacia la casa.

—Señora marquesa, a mama la ha cogido un moro. La ha agachado y le está metiendo una cosa por aquí.

—¿Dónde la ha cogido? ¿Dónde, Catalina?

—En la calleja Chica.

Doña Jacinta pidió a sus hijas mayores que entretuvieran a las gemelas y avisaran a su padre. Él no dudó en buscar una escopeta en el equipaje. Encontró el arma, y las balas. La cargó sin perder un minuto. Y corrió hacia la calle que la niña había indicado. Pero cuando quiso llegar y encontrar a la madre, su cuerpo yacía en el suelo con el vientre pegado a la tierra. Tenía la boca abierta y los ojos cerrados. Junto a ella, rozando su garganta degollada, un soldado con turbante mostraba sus ojos abiertos y su espalda atravesada por un enorme puñal. La sangre de ambos cuerpos se mezclaba en un charco que alguien pisó al huir, y dibujó las huellas de unas zapatillas de esparto. Debían de pertenecer a un niño, o quizá a una mujer.

Si me lo han destrozado, usted responde de ello, señor comisario. Y le juro por lo que más he querido en esta vida, que ha sido mi santa esposa y la hija que me dio, que mal parado va a salir usted.

Mal, pero mal. Por éstas.

No he jurado por mi nieto porque he dicho lo que más he querido. Y mi nieto es lo que más quiero.

No es lo que más he querido, que todavía le quiero, recontra. ¿Se está riendo de mi persona, señor comisario?

Pues no me confunda con los juramentos que hago y los que dejo de hacer.

Me tranquilizo, sí. Pero tenga presente lo que le estoy diciendo.

No fumo, carajo, ya lo sabe. No quiera cambiarme de tercio.

Y no me molesta que fume usted aquí dentro, no.

¿Cómo quiere que no esté nervioso, si hace media hora que me viene asegurando que no se ha perdido?

Pues para mí, que andamos extraviados.

No me trate como a un niño de teta. Un respeto, re-contra, que eso no se hace con un viejo.

Ando nervioso, sí, señor, pero porque no me acaba de llevar donde dice que va a llevarme.

Conozco el campo mejor que usted, y éste no es el camino.

Ahora mismo no sé decirle dónde estamos, porque me lo tapa toda esa blancura. Pero sí sé decirle que del pueblo no hay que salir para llegar al cuartelillo y que por el palacio no hay que pasar. De forma y manera que, o se ha perdido, o está dando un rodeo.

No sé, ponga usted que se figure que gana tiempo, por si hoy le digo algo que no le hubiera dicho ayer.

Mejor que así sea. Aunque van tres veces que le oigo decir que el cuartelillo está ahí a la vuelta. Y tres veces que veo ese mojón, con el mismo número pintado y más nieve en lo alto cada vez que pasamos.

Lo podía haber dicho de primeras, señor comisario, y no dar lugar a la desconfianza. ¿Y ya sabe dónde estamos?

Todo el mundo se pierde alguna vez, pero sólo se encuentra cuando sabe que se ha perdido.

¿Quién, mi Paco?

Todavía no supera los treinta, pero está muy trabajado. Bregando y bregando y sin dejar de bregar, ¿por qué?

Ya le dije lo escaso que es en eso de palabrar. Amén de que a usted no le conoce, no me extraña que no le haya contestado siquiera la edad que tiene. Unos treinta. Yo también los tuve, me parece.

Oiga, si cree que a mí me va a contar mi Paco lo que

no le ha contado a usted, está muy errado, señor comisario. Y aunque así fuera, que no ha de ser, no tengo ni pensamiento de irle a nadie con la copla de lo que mi nieto me haya de hablar. No se lleve a engaño.

¿Y por qué me lleva a verlo?

Se lo pregunto porque si me acerca para que yo le vaya a usted con el cuento, se va a quedar con tres palmos.

Advertido está, y advertido queda. Ni a usted, ni a nadie.

No me enfado.

Ni desconfío ni dejo de desconfiar. Pero no me gusta nada cómo caza esa perrina.

No me gusta que la primera vez que se lo pregunté no me dio por cierto que se había perdido.

¿No es para que ponga yo en cuarentena lo que me diga a partir de ahora? Usted sabrá si se ha perdido de veras, o no se ha perdido y lo que quería era tirarme de la lengua, que este pueblo es muy chico para tardar tanto en encontrarse.

¿Amistad, usted y yo?

Queda por ver.

Hoy lo dudo, sí.

Porque me acaba de dar que hoy ha venido a mi casa con su autoridad por delante. Tal que de una sola parte.

La parte que recoge al abuelo de un preso que no quiere hablar con un comisario.

Por mucho que me diga que me hace un favor en llevarme a ver a mi nieto, está por demostrar que hasta ayer fuera usted mi amigo y que lo siga siendo hoy.

Pudiera ser. Y cuando vea yo a mi Paco, y lo vea entero, y cuando salga de verlo y nadie me pregunte qué es lo que me ha contado, entonces sabré si estaba en lo cierto y es usted una persona de las buenas.

Sí, también pudiera ser que me tenga usted aprecio. Y también pudiera no serlo, que unas veces las cosas son lo que parecen, y otras lo que no quieren parecer.

El tiempo lo dirá, que cuando pasa deja de ser lo que es pero consigue que cada cosa sea cada cosa.

Si no me entiende, yo sí me entiendo. Y a mí me basta y me sobra con entender a uno sólo.

Hace falta una vida para entender a una persona, y yo la mía la tengo gastada, no quiera que le entienda yo a usted.

Yo me lo creo todo, hasta que dejo de creérmelo, señor comisario. Si hasta mi Catalina me dio conversación más de una vez, y más de un manojo, sólo para que no me fuera a la taberna a jugar al dominó. Pero a ella se le veían las intenciones cuando se acomodaba a la lumbre y me hacía acomodar a su lado para darle al tostón con las historias de los señoritos; que en cuanto se empezaba a repetir, ya sabía yo que no estaba en contarme nada.

En lo que estaba era en entretenerme para no quedarse sola la muy granuja, que ya la tenía calada. Cientos y cientos de veces me contaba lo mismo, cientos y cientos. Lo que no supo nunca mi santa es que me entretenía porque yo me dejaba entretener. A mí me gustaba oírle contar las historias, aunque las repitiera al derecho y por el revés, pero yo hacía que no me acordaba de ninguna.

Y usted puede que haya hecho lo mismo desde que llegó el primer día a mi casa y me dio conversación. Usted puede haber hecho lo mismito que ella, en plan falsario y sentado en su mismo sitio arrimado a la misma candela. ¿Me explico?

Entretenerme, carajo, ¿qué va a ser?

Quiera Dios que no sea cierto. Quiera Dios que las historias que contaba mi Catalina para distraerme no las haya escuchado usted para lo mismo.

Puede ser que lo sepa en seguida, y puede que no lo sepa nunca. Y también puede ser que usted no sepa que si hizo conmigo lo que pretendía la Catalina, yo no me he quedado atrás en añagazas.

Consentir en que pensara que me estaba entreteniendo. Pero esta vez era yo el que contaba las historias.

Tiene usted educación, sí, y por eso no está en contestarme como quisiera. Pero no me busque usted la boca, que yo sí le quiero contestar.

Que no tiene ningún mérito ser educado viniendo de donde usted viene, y que es fácil tener refinamiento cuando se vive en buenos modos.

Perderla ya sé que no va a perderla. ¿Cómo van a perder la paciencia los que no han perdido nunca nada?

Estamos a la par, señor comisario. El tiempo dirá si yo he de fiarme de usted, y si ha de fiarse usted de mí.

No, eso se ve de lejos, no es hombre al que le guste perderlo, ni hacerlo perder a nadie, no me hace falta que lo diga.

Pero ha echado usted unas cuantas de horas a mi lumbre.

¿Y qué?, que es de extrañar que no le parezca un mal gasto hablar con un viejo.

Más fácil sería pensar que las ha gastado para otra cosa.

Para esperar a mi Paco, que ya el primer día me preguntó por él.

Esperarlo he dicho, y digo más.

Digo que lo estaba esperando en mi casa, en concreto. Y le digo, si quiere también en concreto, la razón por la que esperaba allí.

Para darle caza en su propio agujero.

Sin ir más lejos, ni más cerca.

Antes de marcharse, los marqueses de Senara llevaron a la hija de su lavandera a «Los Negrales». La niña no quería irse del pueblo sin su madre y no dejaba de llorar. Doña Jacinta sintió que ya había perdido demasiado para arrancarla también de su tierra y le pidió a doña Carmen que tomara a la pequeña a su servicio hasta que ella regresara.

Apenas una hora antes de que la hija de Quica llegase a «Los Negrales», volvió al cortijo Isidora. Venía con las piernas manchadas de barro y sangre. Y llevaba una medalla de oro apretada en un puño, con el nombre de Quica grabado y la imagen de la Virgen de Guadalupe en el dorso. La enferma la oyó gritar desde su habitación y creyó entenderle que alguien había muerto. Le oyó también decir el nombre de Quica, y escuchó los gritos de su madre exigiéndole que se calmara, y los de su hermana preguntándole a su madre de qué venía huyendo Isidora. El griterío cesó al cabo de unos minutos para dar paso al sonido del golpe de una puerta al cerrarse, y a un silencio prolongado.

Doña Carmen había cogido a la sirvienta por un brazo y se había encerrado con ella en la salita verde, obligando a su hija Victoria a esperarla fuera. La señora le ordenó a la sirvienta que hablase en voz baja. Le preguntó si venía huyendo, y escuchó lo que Isidora venía a decirle: que ella no huía de nadie, y que la señorita Victoria no conocía al hombre con el que iba a casarse.

—¿Tú estás loca? ¿Pero quién te has creído que eres?

Y le contó que había ido al cortijo a decirle lo que se disponía a decirle. Y que había llegado corriendo desde el frente del sur. Y le contó que ella no huía de nadie, ni siquiera de los soldados que la habían deshonrado. Que ellos la dejaron marchar, riéndose, como se reían los demás mirándola correr. Y le contó que los que reían no la reconocieron. Pero ella había visto dos caras entre los que reían, y que iba a gritar a los vientos cuáles eran sus nombres. Y que a eso venía al cortijo, y que por eso corría por la calleja Chica. Que ella no huía de nadie. Y tampoco huía del hombre del turbante que degolló a la lavandera.

—Señora, ese sarraceno merecía morir con los pantalones bajados, y con su propio cuchillo, cuando yo me tropecé con él y vi a la Quica debajo.

Le mostró la medalla ensangrentada que escondía en la mano. Dijo que Quica estaba muerta. Y que todos eran iguales. Todos.

—Aunque a mí no hayan querido matarme.

Y le contó que había ido corriendo hasta el cortijo porque les tenía que decir lo que iba decirles. Porque nada tenía remedio. Porque nadie le devolvería su honra. Pero el señorito Leandro perdería la suya, y la señorita Victoria sabría quién era el hombre con el que iba a casarse. Y que a eso venía al cortijo. A llevarse honra por honra. Que la señorita no había visto reír al señorito Leandro de la forma que lo había visto reír ella. Y que a eso venía. A avisarlos.

Después de haber perdido la batalla por asistir a lo que sucedía detrás de la puerta, la hija de doña Carmen pudo escuchar únicamente a su madre, que increpaba a la sirvienta, incapaz de controlar el tono de su voz.

—¡Lo que te ha pasado no te da derecho a avisarnos de nada, Isidora! ¡De nada, ¿lo oyes?! ¡¿Quién te ha dado a ti el derecho?! ¡¿Quién?!

Mordiéndose los labios y apretando los puños, Victoria se esforzaba en controlar su ira. Se veía obligada a serenarse si quería entender algo de la conversación, aunque fuera sólo a medias.

—¡Eso es una obscenidad, Isidora! ¡Ellos no han podido presenciar algo semejante sin mover un solo dedo! ¡Estás mintiendo! ¡Y no te voy a consentir que me mientas!

Apoyada contra la puerta, Victoria intentaba captar la respuesta de Isidora, pero sólo llegó a oír el nombre de su prometido, y los gritos enérgicos de su madre.

—¡El señorito Leandro no estaba allí, ¿me oyes?! ¡Y el señorito Felipe tampoco, ¿lo has entendido bien?! ¡Ninguno de los dos! ¡Ninguno! Y si eso no te queda claro, vamos a hablar de lo demás. Y lo demás es muy serio, Isidora, muy serio. Y te puede llevar al paredón, o al garrote vil.

Victoria no pudo dominar el impulso de abrir la puerta. Irrumpió en la habitación repleta de regalos de boda y encontró a la sirvienta enfrentada a su madre, en actitud desafiante.

—Nadie me vio, señora.

—¡Victoria, sal de aquí!

—Te he oído gritar el nombre de Leandro, mamá. No pienso irme si no me dices qué le ha pasado.

Doña Carmen supo al ver la expresión de su hija que cualquier intento de hacerla salir de aquella habitación resultaría inútil. Y supo que debía intervenir antes de que lo hiciera su sirvienta; hablar con rapidez mientras buscaba una estrategia capaz de convencer a Isidora de que no aireara el nombre del prometido de Victoria.

—A Leandro no le ha pasado nada, pero Isidora está en un apuro y vamos a ayudarla. Ha matado a un hombre.

—¿A quién?

—A un soldado que acaba de asesinar a Quica.

—Nadie me vio, señora.

—¿Han matado a Quica?

—Sí, han matado a Quica. Pero Isidora ha matado al soldado que la mató.

—¿Isidora?

—Nadie me vio.

—Nadie la vio. Pero ese soldado, haya hecho lo que haya hecho, estaba luchando para salvar la patria. Y si no bastara con eso, Isidora viene de combatir en la milicia, en el frente del sur.

—¿Y has visto allí a Leandro, Isidora?

—Allí vi al señorito Leandro, sí. Y allí perdí la honra, señorita Victoria.

La oportunidad quiso que el teléfono sonara antes de que Isidora pudiera continuar. Doña Jacinta llamaba para pedir que se quedaran en «Los Negrales» con la hija de Quica. Julián había encontrado muerta a su madre, junto a su asesino, muerto también. Ella le contestó fingiendo sorpresa ante la noticia. Le preguntó si alguien había visto al que mató al asesino de la lavandera y después de una pausa, mirando fijamente a Isidora, dijo que los tiempos andaban muy revueltos y que era muy probable que no lo encontraran jamás. Colgó el auricular y se dirigió con tono firme a su sirvienta.

—Los marqueses vienen hacia «Los Negrales». Acaban de encontrar a Quica. Alguien ha matado al hombre que la degolló, pero nadie sabe quién ha sido, ¿entiendes? Nadie.

—Nadie me vio, señora.

—Nadie te vio, porque tú no te has movido de este cortijo desde que empezó la guerra. Nadie ha visto nada. ¡Nada! ¿Me entiendes?

Doña Carmen le arrebató a Isidora la medalla de las manos y la guardó en un pequeño cofre de plata.

—Y lo que nadie ha visto es que no ha pasado, ni has matado a un hombre ni has luchado en el frente. Ninguna de las tres dirá una sola palabra de lo que se ha hablado aquí esta mañana. ¿Está claro?

Doña Carmen le exigió a su hija que jurara sobre la Biblia que no hablaría con nadie de lo que allí había sabido, y le pidió después que esperara a sus suegros en la entrada. Antes de salir, Victoria se dirigió a la sirvienta.

—Isidora, ¿estaba bien el señorito Leandro?

—Riendo estaba.

La dureza con la que la miró doña Carmen no intimidó a Isidora, que mantuvo su mirada en los ojos que la miraban. Y repitió:

—Riendo estaba.

—Ya lo ves, Victoria, Leandro estaba bien. Ahora hay que olvidar que Isidora lo ha visto, y pensar en ella, que lleva toda la vida con nosotras, igual que Modesto. Acuérdate de lo que le ha pasado a Marciano en la plaza de toros, a Modesto podría pasarle lo mismo. Ya sabes, ni una palabra a tus suegros, ni a nadie. Por cierto, Isidora, ¿has visto ya a Modesto? No te he dicho que está con Justa en la cocina. Por Marciano ya no podemos hacer nada. Pero tú y Modesto estáis a salvo aquí.

Isidora guardó silencio, apretó los labios, y se llevó la mano a la boca. Doña Carmen la seguía mirando duramente, había encontrado por fin la pieza que le faltaba.

—Lo que nadie ha visto no ha sucedido. Tú no estabas en el frente del sur, ni Modesto tampoco.

—Modesto no estaba. Modesto habría defendido mi honra. Con su vida la habría defendido.

—Tú no has perdido tu honra, Isidora, porque nadie te ha visto perderla. Y no se te ocurra decirle nada a Modesto, a un hombre no le gusta llevarse a una mujer que ha servido ya de primer plato para otro.

—Mamá, qué cosas dices.

—Victoria, ve a buscar a Modesto a la cocina y dile

que venga. ¿Tienes algo más que decirle a la señorita Victoria, Isidora? ¿Tienes algo que decirle sobre el señorito Leandro? Contesta, que parece que te has quedado muda.

—¿Es que le dijo algo para mí, mamá?

—No, hija. Isidora vio a Leandro, pero no debes decírselo a nadie, ni siquiera a sus padres, porque él no la vio a ella. Y ella debe olvidar a quién vio allí. Porque Isidora no ha estado en el frente del sur, ni Modesto tampoco, y en ello les va la vida a los dos. Isidora no pudo ver a Leandro. ¿Verdad, Isidora? ¿Viste al señorito Leandro?

Doña Carmen retiró una bandeja de plata expuesta sobre un sillón tapizado en verde, y ocupó el asiento.

—Isidora, dile a mi hija si viste al señorito Leandro.

—Él no me vio.

—Te he preguntado si tú lo viste a él.

Cuando Isidora contestó, bajó la mirada.

—A nadie vi.

Lo he encontrado entero y sin daño, sí, señor comisario.

Usted me perdonará, pero prefiero ir andando. Y me perdonará también los aspavientos que le solté cuando me trajo.

Me puse más hediondo y más intercadente que en todos los días de mi vida. No diga usted que no.

No quiera disculparme, que soy yo quien le debo una disculpa y me quiero disculpar.

Espere.

Escuche usted un momento, tenga la bondad.

Una.

Dos.

Las dos. Es la primera vez en mi vida que las confundo. La de antes era la media, y yo creí que era la campanada de la una. ¿Sabe? La última noche del año contábamos las doce en la calle, como ahora. Y dábamos un paso hacia la iglesia con cada una, y también nos equivocábamos. Pero la media con la una no las había equivocado hasta hoy.

¿Decía usted?

¿Amigos? Claro, amigos.

La fatiga que dice que me ve no ha de quitármela ir en coche.

Hágase cargo, que acabo de ver encerrado a quien siempre estuvo al aire. Y le he visto el encierro en los ojos, y le he visto que sabe que va para largo. Y lo único que me ha dejado la vida me lo ha quitado usted.

Él, y usted.

Usted, porque lo ha cogido. Y él porque sabe que no lo ha de soltar.

¿Las paces? Pues yo le estrecho la mano y usted me la estrecha también, no hace falta más.

Sea, si es de su gusto.

Bueno está, pero si me lleva de vuelta a mi casa, se queda a almorzar conmigo, que ya hemos hecho una pelea y unas paces, pero nos falta decir que hemos comido juntos.

Ninguna molestia. Tengo yo el gusto de convidarle, si se deja convidar y olvida los agravios que le hice antes.

Por el lado que da para la frontera. Lo sigue derecho y cuando llegue a la Huerta Honda, dobla para el Pilar Redondo.

Por la primera vereda. Ahí, donde está la veleta del gallo. También puede tirar por la segunda, coja usted por donde quiera, que a mí ya me da lo mismo.

Pierda cuidado, y vaya lo aprisa que sea menester.

No sé si he olvidado el miedo a montar en el coche, o son otros cuidados los que me asustan.

Me asustan los ojos de mi nieto.

Porque mire que los habré visto veces con quebranto,

y la última hace bien poco, cuando se nos fue mi santa y la dejamos bajo tierra. Mi Paco cogió flores del campo y apañó un ramito para cada uno, para él, y para mí. Y nos volvimos caminando los dos solinos. Al llegar al umbral, se quitó las alpargatas, les sacudió el barro y entró descalzo. La abuela no consiente, dijo. De barro, lo preciso. Y me miró quebrantado, con los ojos que me ha mirado hoy. Ojos de haber perdido algo, de haberlo perdido todo. Los mismos que me puso mi Catalina la primera vez que no quiso morirse, y no se murió.

Estaba muy malita, se iba en sangre después de alumbrar a mi hija. La fuerza la había gastado toda en echar a la criatura y ya no le quedaba ni mijita para contener la vida que se le escapaba. La perdía a borbotones, y cuando ya estaba escasa de ella, la partera le dijo a mi madre que había de tener resignación. Y mi madre me mandó a por don Matías. Tenía más poco salero ese cura, a mi santa le dio los óleos y a mí me dio una palmada en un hombro. Y se marchó antes de que nos enterásemos de que hubiera venido. Entonces fue cuando la Nina se quedó blanca blanca, más blanca que el alcanfor, y me miró con los ojos de haberlo perdido todo.

Consumidita se había quedado. Pero esa misma tarde, ya entrada, me dijo que no iba a morirse. Que no, que ella no se moría, que había ido al cielo y era muy azul muy azul, pero que no había visto a nadie conocido y que se había vuelto para atrás. Que no se moría. Que no. Y no se murió. Mi madre le puso a la niña en los brazos, y ella, la Catalina, sentenció que le íbamos a poner

María Inmaculada de la Purísima Concepción, que como era bien largo, el bautizo le había de durar a don Matías por lo menos lo que se demoraba en decir el nombre. Así que lo dijo, que la extremaunción había sido muy sosa, y ella quería más ceremonia para su niña.

Digo. Claro que le pusimos María Inmaculada de la Purísima Concepción, digo que si se lo pusimos. Pero la llamábamos Inma.

Se parecía a la Catalina. Menudita ella, como un perdigoncino, y con la misma carita redonda. En el semblante sí tenían un punto de comparación, pero la Inma no tenía tanta guasa. En lo arisco, salió mi nieto a mi hija. Y en lo hosco. Y en lo ceñuda. La Inma no era tan lenguaraz, cuando la madre tenía ganas de charlantina, ella se daba media vuelta. Déjate de consejas, madre, le decía. Y a mi señora no le quedaba otra que contarme a mí lo que tenía ganas de contar.

Seria era, sí. Escurridiza y callada, de puro metidina para adentro. Y cuando le daba por hablar, soltaba unas sentencias que te dejaba más tieso que un ajo. De ahí que en plena agonía, se le ocurriera decir lo que dijo.

Madre, no fue el cielo lo que usted vio, que el cielo no es azul. Es marrón marrón, y rojo, como los barros que amasa padre para hacer botijos. Si no es marrón y rojo, me vuelvo para contárselo.

Marrón marrón, y rojo, le porfió a su madre que era el cielo. ¿Usted se lo puede creer, la ocurrencia? ¿Se lo puede creer, idea tan peregrina?

Yo me acerqué a mi hija, cuando el dolor de parir le

descansó por un rato y mi madre y la Nina me dejaron entrar. Cuánto cuesta nacer, padre. Y cuánto cuesta morirse.

Y no volvió.

Y luego, cuando se ponía a llover, mi Catalina miraba para arriba. Ya está haciendo botijos la Inma, decía.

Regresar a «Los Negrales» no fue fácil para ninguna de las sirvientas que se enrolaron en las milicias. Algunas volvieron con un pañuelo calado hasta la frente, intentando ocultar la humillación que señalaban sus cabezas rapadas. Pero Isidora llegó con su melena entera, resbalando en desorden sobre sus hombros, y a ella no le ocurriría lo mismo que a las mujeres que alzaron poco a poco la mirada según iban creciendo sus cabellos. Cuando Isidora regresó, y se vio obligada a recibir a los marqueses de Senara con la hija de Quica, no pudo mirar a la cara a los padres de los testigos de su ultraje, tapó con sus párpados el espanto que llevaba en los ojos bajando la vista, y pensó que nunca volvería a alzarla. Para Isidora, regresar al cortijo supuso creer que quedaría abatida para siempre.

Doña Carmen lo arregló todo para que su sirvienta mantuviera el secreto que debía guardar. En presencia de Modesto, le aseguró que nunca la delataría, mencionó su pertenencia a la milicia, el asesinato del soldado que mató a Quica y la confesión de Isidora ante su hija

Victoria como testigo, y mostró la medalla que probaba todo cuanto decía, pero nada dijo sobre la violación que había sufrido Isidora. Y nada escapó a las previsiones de doña Carmen. Cuando acabó de informar a Modesto del peligro que corría Isidora, le dijo que podía regresar a la cocina con Justa. Una vez a solas con la sirvienta, antes de ordenarle que fuera a recibir a la hija de Quica, le preguntó si conocía carnalmente a su novio.

—¿Que si le he visto la carne?

—Que si te has acostado con él, Isidora.

—¿Y por qué tengo que decírselo a usted?

—Por si te has quedado embarazada. Si has estado con él, el hijo puede ser suyo.

Isidora le contó que se había entregado a Modesto antes de irse al frente, pero sólo una vez. Y doña Carmen dispuso que Modesto se hiciera cargo de unas tierras de labranza, y le ordenó construir una vivienda para que se casaran de inmediato.

Y se casaron, en la sacristía de la iglesia parroquial, donde ambos juraron previamente la renuncia a sus ideas socialistas cumpliendo las exigencias de don Matías, que se negó a oficiar el sacramento del matrimonio si los contrayentes no abjuraban de sus convicciones. El novio juró para salvar la vida de la novia, sin saber que ella juraba para salvar la de él. Doña Carmen firmó como testigo.

El matrimonio se instaló en la casa que construyó Modesto en menos de un mes, a las afueras del cortijo. La recién casada iba y venía a «Los Negrales», corriendo siempre, con el temor de encontrarse en el camino a los que no deseaba volver a ver nunca. Sabía que aquel encuentro era inevitable, que los hijos de los marqueses de Senara se cruzarían con ella. Corría. Y antes de correr, cada mañana, cuando su marido ya se había marchado al campo, manipulaba en su interior una ramita de perejil, después de haberse encaramado a la mesa camilla y de saltar con ímpetu al suelo para deshacer lo que temía que el destino había hecho. Corría hasta la extenuación, tras haber repetido los brincos desde la camilla una y otra vez, sintiendo que llevaba una herida en lo profundo que sólo podía curarse si sangraba.

Pero Isidora podría haberse evitado tanto esfuerzo, porque en su vientre no había embarazo. Y lo supo una tarde, al levantarse de la silla de anea donde estaba cosiendo. Joaquina repasaba a su lado el dobladillo de un vestido azul. Le dijo que se había manchado la falda, y se extrañó al verla sonreír.

—Chacha, qué pocas entrañas tienes. ¿No te han dicho a ti que los hijos son la alegría para un matrimonio?

—Los hijos que manda Dios, Joaquina.

—Cucha, ¿y quién había de mandarlos? ¿Es que tú no quieres preñarte?

—Ahora sí.

—Que te compre quien te entienda, hija. Lo que es yo, daría la vida porque Marciano me hubiera hecho uno antes de morirse. Uno, o dos.

Su herida sangraba por fin. Isidora corrió en sentido contrario, hacia su casa, para lavarse y cambiarse, y volver limpia. Limpia. Restregó su falda, golpeándola contra la tabla de madera con fuerza y rabia. Y al volver al cortijo, cedió a la necesidad a la que se había negado hasta entonces: abrazar a la hija de Quica.

Desde que la pequeña llegó al cortijo, Isidora procuró no prestarle mucha atención. Cuando la señora le encomendó que le enseñara las faenas de la casa, y le advirtió de que no sabía que habían violado a su madre, y de que nunca debía saberlo, se la llevó sin mirarla al patio de atrás. No quería que la niña adivinara en su rostro el recuerdo que le invadía al mirarla. No quería ver en su cicatriz el filo de un cuchillo, el que le arrebató al asesino de su madre aquella misma mañana. Se negaba a recordar los ojos demasiado abiertos de aquel hombre que yacía sobre el cuello degollado de Quica, jadeando y gimiendo, demasiado atento a su botín para advertir la llegada de Isidora, demasiado atento como para notar que había aflojado la mano, dejando caer su daga. No quería ver en la hija de la lavandera otra mirada, la de unos ojos mancillados, aquellos otros ojos que ella misma cerró, después de coger la medalla que Quica tenía muy cerca de los labios.

La niña dijo que se sentía mal, nada más bajar del automóvil. Y antes de que Isidora pudiera prepararle una manzanilla, vomitó cuanto llevaba en el estómago. Fue Justa quien le sujetó la frente con una mano y le empapó la nuca con agua fría.

—Chacha, en mi puñetera vida he visto arrojar de estas maneras. Tú no estás nada de buena, criatura. Estás más amarilla que una sandía de invierno.

—Sí estoy buena, es que ese trasto se menea como una mula mal encabritada.

Cuando se recuperó, Isidora le preguntó qué sabía hacer, y la niña contestó que era lavandera, como su madre. A la mañana siguiente, Isidora le colocó un pequeño lebrillo y una tabla de lavar en el patio de la cocina. Comenzó por darle prendas pequeñas, las que creyó que podía manejar, pero la rapidez y la destreza de la chiquilla le demostraron en seguida que podía hacerse cargo de toda la colada. Lavaba por las mañanas, mientras Isidora atendía a la hija enferma de los Albuera. Y cuando Isidora cosía por las tardes, era la niña la que atendía a la novicia. Así lo dispuso Isidora, para no verla. Para que la niña no descubriera en su rostro el rostro violado de su madre. Para que no lo adivinara nunca.

Pero aquella tarde, cuando supo que Dios no le mandaba un hijo, deseó abrazar a la hija de Quica, a la niña que le había puesto en su camino y que ella no había querido aceptar. Y deseó darle el afecto que le había negado desde el día en que llegó huérfana a «Los Negrales», con una venda tapándole la mitad de la cara.

Dígame, señor comisario, ¿por qué le he visto yo en los ojos que no lo han de soltar?

¿La escopeta? ¿Qué escopeta? Si el Paco no tiene ninguna.

¿Y un sumario, qué es?

Ah.

¿Y no me puede usted adelantar nada sin faltar al secreto?

No sé.

Pero digo yo, aunque usted sepa poco, se figurará algo. Me podrá contar cuando menos lo que se figura, que a nadie le pueden prohibir pensar por su cuenta, y decir lo que piensa.

En la chocita de la miajada de arriba duerme él muchas veces, sí, en el verano, que allí se está más fresquito y los borregos mucho le temen a la calor. ¿Allí es donde han encontrado la escopeta?

¿El perro los ha llevado hasta ella?

El *Pardo* es ése. Sí que es listo el animal, y vale, se echa a las patas de los borregos y junta él solito el rebaño entero. Sí sabe, sí que sabe el *Pardo*. Pero lo que el perro no puede saber, y es imposible que lo sepa, es si mi Paco la escondió, o fue otro.

Pero mire usted, aunque allí la hubieran encontrado, mi nieto no ha pegado un tiro en la vida.

No sabe, qué ha de saber. Ni sabe ni podría, máxime con esa manita. Si hasta se libró del servicio, lo dieron de inútil por lo de la mano, que por lo mismo no pudo aprender el oficio de la familia, que se acabó conmigo, y tuvo que pedirle al señorito que le dejara pastorear sus rebaños.

Y más lástima me da a mí. Más que lástima, coraje me da, que yo fui alfarero como lo fue mi padre, y el padre de mi padre y el abuelo de mi abuelo, y todos pudimos disponer de lo nuestro, mal que bien, levantando con las propias manos los cántaros propios, y poniendo nosotros el precio. Y nunca nos ha faltado lo más preciso, ni siquiera en los años del hambre. Y mi nieto se ha visto obligado a ganarse el pan y dejar la vida arreando al monte los borregos de otros, que no los ha de catar. Y ha tenido que destetar a los más chicos y ver a los señoritos cómo se los llevaban, para llenarlos de lazos de colores el día de la Aleluya. Vestiditos de pastores y de pastoras los paseaban por la pradera, amarraítos con un cordel, y luego lloraban por ellos y se negaban a comerlos. ¿Usted se la ha visto?

La mano.

A mi Paco.

¿Y cree que con eso puede pegar tiros?

Nació ya perjudicado. La Inma tardó tres días en

echarlo del vientre. No le daba de sí sálvese la parte, y la criaturita no cabía. Mi Catalina arrimó unos cuantos braseros de picón a las piernas abiertas de la hija, y otros cuantos le arrimó mi madre, que iba y venía a la casa del Tomás porque a la nuera se le ocurrió alumbrar a la par que a la Inma y la comadrona no daba a basto. Pero mi nieto no encontraba la luz por donde había de ver el mundo, y después de tres días sacó la manita por la angostura de la madre; la manita sacó lo primero, como si el angelito estuviera pidiendo ayuda. Y mi santa tiró de ella. La Inma pegó un grito más fuerte que todos los que había pegado en el calvario que pasó para morirse, y se fue en el momento en el que llegó su hijo. Lo primero que oyó mi nieto fue el chillo de la madre, y él chilló también. Pero mi hija ya no pudo oírle.

¿Padre? Nunca tuvo. Yo le quise meter una buena tunda a la Inma cuando se nos vino a decir que traía la barriga llena, pero mi santa me aguantó la mano y terció que si no me acordaba de lo mío. Aunque luego fue ella la que agarró la alpargata cuando la hija corría a esconderse cada vez que le preguntaba quién le había arrancado la honra, y fui yo quien la frenó de matarla y le dije a la Catalina que era de preferir no saberlo, que si una mujer da la cara por un hombre en estas cuestiones es porque sabe que él no va a darla por ella. Pero le juro, señor comisario, que si yo me hubiera enterado de quién era el que perdió a mi María Inmaculada de la Purísima Concepción, ese malnacido no se escapa. Del cogote lo hubiera llevado yo al altar, o a la muerte.

No andaba de novia con nadie. Había un muchacho

de buen corazón que se arrimaba siempre a ella para pisar la uva. Andaban juntos a la vendimia, y juntos a Rabogato a arrancarle los chupones a los olivinos nuevos. Mi santa barruntaba que iban para novios, pero cuando la Inma nos vino como nos vino, nos dio por cierto que ese muchacho no era. Y ese muchacho no era, ese muchacho llevó el alma partida desde que la Inma entró a servir en la casa azul y dejó de ir con él al campo. Y luego después, cuando nos llegó aumentada y no lo quiso ver más, se vino abajo porque sabía de cajón las razones que tenía para no querer verlo. ¿Me comprende usted?

Ni a él, ni a nadie se lo dijo. ¿Qué se le va a hacer? Porfió un porrón de veces que ese niño no tenía padre. Y nunca lo tuvo.

Ahí está. Y eso que mi santa siempre quiso enterarse de la tierra que pisaba la niña. Lo que uno quiere para sus hijos. Un caminito bueno. Y saber con quién anda. Y saber dónde está. Y de dónde viene.

Por lo mismo, la Catalina la puso a servir donde el duque ciego, porque no le gustaba que faenara en el campo. Pero las cosas no son como queremos que sean, señor comisario, son como son. Así lo aprendí yo de don Julio, un viajero que me compró un botijo un día de mucha calor. Venía de Portugal, y llegó todo colorado porque no tenía costumbre de estas sofoquinas. Mi santa le estaba mirando a él, y él estaba mirando al cielo, que parecía que nos iba a freír. Se nos va a caer encima ese sol, nos dijo el forastero, y nos va a aplastar. Así quiero tener yo los ojos, Antonio, tan azules, me soltó a mí la Nina. Me lo soltó bajino, pero él lo oyó. Las cosas son como son, señora, no como queremos que sean. Señora la llamó. Señora. Si le hubiera visto usted la cara, a la Nina. Y luego volvió a llamárselo. Señora, Julio Romero de Torres le ponía a las mujeres dos soles negros. Ése era un pintor de Córdoba, ¿sabe usted? Nos lo contó luego don Julio, que era bien dicharachero. Y después le dijo a la Catalina que ella era como las que pintaba el de Córdoba. Y se fue para León. Nunca volvimos a verlo, pero a mí no se me despinta el semblante de mi santa cuando le dijo lo que le dijo. Y es que no hay como comparar a una mujer con algo bonito, para que se le ponga cara de tonta.

Y a ella menos, qué se le había de olvidar a ella. En lo que le quedaba de vida, ni lo que dijo, ni a don Julio olvidó nunca.

No vea lo pinturera que andaba mi Catalina desde entonces, presumiendo de estampa.

El tiempo pasaba con demasiada lentitud para Aurora. Esperaba. Sólo esperaba el regreso del doctor Palacios. Zacarías acababa de traer un sobre. Venía de Teruel. Ella leyó el remite y lo quemó sin abrirlo, como hacía siempre que le llegaba una carta del médico. Leía el remite y eso le bastaba para saber que continuaba con vida, pero no se atrevía a enfrentarse a las palabras que pudiera decirle y menos aún a la necesidad de contestarlas. Contempló las llamas que se consumían y el vuelo de las cenizas, sabiendo que la ansiedad se adueñaría de nuevo de ella hasta la llegada de la siguiente carta. Tomó su rosario de cuentas de cristal y se sentó en su mecedora mirando hacia el porche, recordando a Felisa. Se disponía a rezar cuando Catalina entró en su habitación.

—Cucha las niñas, se creen que porque vienen de fuera saben más que los que vivimos aquí.

—¿Qué te pasa, Catalina?

—Me pasa que esas señoritas del pan pringado se las dan de postín sólo porque viven en Pamplona. Y la que tiene nombre de niño se ha empeñado en que se llama igual que mi madre. Y Pachi no tiene punto de compararse a Quica, ¿a que no?

—Los dos nombres vienen de san Francisco.

—Eso no puede ser.

—Sí puede ser. Igual que Paco, y Frasco.

—¿Cómo va a ser eso?

—Es así, Nina.

—Será así, si usted lo dice. Pero la más chica, la muy trolera, me quiere dar en creer que los morgaños son arañas, y que los alcauciles son alcachofas y los peros manzanas. Y la Elvira se empeña en que las salamanquesas son lagartijas y que son lo mismo que las salamandras. Y eso sí que no.

—¿Y qué más te da a ti?

—Me da más que rabia, la finolis ésa. ¿Pues no que va y dice que las paneras no son para lavar, que son para el pan? Y se pone que yo no sé nada porque no sé leer. Y le he entrado la mano en la lavaza, para que se entere, y le he dicho que no sé leer pero sé lo que es una panera. Toma castaña.

—Anda, ven aquí. Y no te enfades. ¿Quieres que yo te enseñe a leer?

—¡Fo!, ¿usted puede eso?

—Sí. Y a escribir también. Y no digas fo, que está muy feo. Ni cucha, ni chacha.

—¿Y por qué está feo?

—Porque está feo. Acércate, que vamos a empezar ahora mismo.

Isidora subía la escalera de prisa, a la hija de Quica se le había olvidado ir a la cocina a recoger la merienda de la enferma, y ella iba a avisarla, cuando se tropezó con Victoria. Las dos mujeres se encontraban frente a frente, por primera vez a solas, desde que la sirvienta regresó a «Los Negrales». La hija mayor de doña Carmen supo del dominio que ejercía sobre la sirvienta cuando Isidora pasó a su lado en silencio.

—Se dice buenas tardes.

—Buenas tardes, señorita.

—¿Has visto a mi madre?

—La señora está en el gabinete, que ha venido la peluquera a pelarla.

Ambas siguieron su camino. Victoria bajó la escalera mirando a Isidora. Y ella la subió sin mirarla.

—¿Da usted su permiso?

—Pasa.

—¿Me puedo llevar a la Nina, señorita Aurora? Justa está preparando la merienda y es tiempo ya de que se la suba.

—Tráemela tú. Nina está haciendo algo más importante.

La hija de Quica le enseñó orgullosa un cuaderno y un lápiz y se los puso en las manos. Isidora vio la primera hoja, con letras que parecían grabadas a punzón en lugar de escritas.

—Ten, míralos, me los ha dado ella. Son míos para siempre.

Y volviéndose hacia la enferma, mostró su desconfianza ante un regalo que dudaba poder conservar.

—¿Son míos, no?, que lo que se da no se quita porque viene santa Rita y te corta las manitas.

—Claro que son tuyos, pero no tienes que apretar tanto, que vas a romper la punta del lápiz. Venga, sigue con la A, que todavía parece una cosa rara en vez de una letra.

—Parece una casa mal hecha, ¿a que sí?

Isidora se acercó a Catalina, le acarició la cicatriz, la besó en la frente y le pidió que dibujara la A. Fue la primera vez que la vio escribir. La niña se agarró al lápiz como si temiera caerse, sacando la punta de la lengua. Y la suya asomó a sus labios.

Al llegar a la cocina, Isidora encontró a Justa hablando sola, malhumorada trajinaba en los fogones y no la vio entrar.

—Cucha, ni que esto fuera una fonda. Por si fuéramos pocos, dos más. Me cago en la mar salada y en los peces de colores, nosotros le entregamos la comida al ejército y el ejército viene a comer aquí.

—¿Qué te pasa, Justa?

—¿Que qué me pasa? Me pasa que cuando hay, se puede repartir, pero cuando no hay es menester inventarse el reparto. Y a ver qué carajos me invento yo hoy para la cena.

—Haz cualquier cosa.

—Eso le dije yo a la señora, que haría cualquier cosa. Y, ¿sabes qué me contestó? Que de ninguna de las maneras. Que nada de cualquier cosa. Que quería darles una buena cena a esos dos.

—¿A qué dos?

Los hijos de los marqueses de Senara habían llegado a «Los Negrales». Isidora escuchó a Justa sin dejar traslucir el desasosiego que le produjo la noticia, y buscó una excusa para marcharse a casa y retrasar el encuentro que tanto temía. Dejó a la cocinera con sus quejas y salió al patio. Allí encontró a las hijas de doña Ida, que jugaban sentadas en el suelo, cantando con la espalda contra la pared.

—Los moros vienen.

—¿A qué?

—A mataros.

—¿Con qué?

—Con un cuchillo.

—¿De qué?

—De acero.

—Que se levante mi compañero, que está el primero.

Isidora les gritó que se fueran con su madre. Les dijo que no jugaran nunca más a ese maldito juego y echó a correr. Quiso evitar la entrada principal del cortijo, y huyó hacia el pabellón para tomar el camino de atrás. Corrió sin mirar, y cuando se acercaba al porche, una voz la detuvo. Victoria caminaba hacia ella del brazo de su prometido.

—¿Adónde vas, Isidora?

—A mi casa me voy.

—Es temprano, ¿lo sabe mi madre?

—Lo sabe la Justa, me ha dado un vahído y me tengo que ir.

—Sí que estás pálida. Y te estás poniendo como la cera por momentos. Siéntate y bebe un poco de agua, anda. Leandro, alcánzale una silla.

Aunque se sentía desfallecer, Isidora no permitió que

Leandro la ayudara a sentarse. Lo dejó con una mano extendida hacia ella y echó a correr.

—Pero si estaba a punto de desmayarse, ¿de dónde ha sacado fuerzas esa mujer para correr así?

—Déjala, ya sabes lo raras que son.

Era la segunda vez que Leandro veía correr a Isidora, sujetándose con las manos las faldas remangadas hasta las rodillas. Y la segunda vez que se preguntaba de dónde había sacado las fuerzas para correr, pero él no lo sabía. Se quedó observándola, impresionado por el brío de sus piernas, por la velocidad que tomó en su carrera. Admiró la precisión de sus pisadas al ver sus pies buscando impulso en el suelo, levemente, y firmes abandonar la tierra. Descubrió el vigor de sus muslos, sus movimientos elásticos, la sensualidad de su porte. Y sintió un súbito deseo de frenar aquel ímpetu, de dominar en su galope a la que huía. Sonrió, atraído por una oscura embriaguez. Y la miró desaparecer detrás del pabellón. Saboreándola.

—Vamos a buscar a tía Ida, que si mamá se entera de que nos ha dejado solos, no le vuelve a pedir que sea nuestra carabina.

Y se dejó llevar por Victoria. Caminó junto a ella despacio hasta la casa central, recreándose en el placer que aún sentía.

En la salita verde, las hijas de doña Ida se habían reunido con su madre y con Catalina, que había bajado de la habitación de la enferma cuando la llamaron para ensayar con ellas el cuento de *Los siete cuervos*, y para rellenar de confetis huevos vacíos que habían pintado de colores. Querían lanzarlos al día siguiente, después de representar el cuento en un pequeño teatro improvisado en las arcadas del pabellón. Victoria y Leandro asistieron divertidos a las peleas de la niñas, que discutían porque la hija de Quica improvisaba su papel.

—Eso no vale. Lo tiene que decir de memoria.

—Sí vale, lista.

—Claro, como no sabes leer, no te lo puedes aprender.

—Te vas a enterar tú de si no sé leer, so sabihonda.

—Así no hay manera de ensayar nada. Nina, dilo como tú quieras, hijita. Y vosotras, haced el favor de no decirle esas cosas, que es una falta de caridad.

Doña Ida intentaba poner orden, ajena a otra discusión que tenía lugar en el gabinete entre los Albuera y el hijo mayor de los marqueses de Senara, sin sospechar que lo que allí se estaba tratando determinaría su marcha de «Los Negrales». Su hermana Carmen le acababa de pedir a Felipe que usara sus influencias en el ejército para obtener un salvoconducto que le permitiera a su cuñado Federico viajar hasta el cortijo y regresar a Pamplona con doña Ida. Y le había pedido también un documento para Modesto, y otro para Isidora, después de contarle lo ocurrido en el frente del sur, omitiendo el detalle del asesinato del soldado que mató a Quica.

—Lo de tu hermana lo entiendo, y te lo voy a arreglar porque es tu hermana. Pero lo de los criados es otro cantar.

Lo que hasta entonces había sido una tranquila conversación se transformó en acaloradas réplicas. Felipe comenzó por negar el relato de la sirvienta y doña Carmen contestó diciendo que carecía de importancia si era cierto o no. Su hija no se casaría con un hombre si no era considerado intachable. Basta con que se ponga en duda el honor para perderlo, le dijo, y la única forma de preservar su buen nombre y el de su hermano era protegiendo a Isidora y a Modesto.

—Además, he dado mi palabra, Felipe.

—¿Cómo se te ocurre decir que has dado tu palabra? Son muchos los que han dado la vida para limpiar el país de esa calaña, para que tú me pidas encima que te ayude a salvar a dos.

—Te recuerdo que está en juego tu honor y el honor de tu hermano.

—Qué ingenua eres, Carmen.

El hijo mayor de los marqueses se mesó el bigote con las puntas de los dedos. Tapó con su mano el cinismo de una media sonrisa, antes de retirarla de los trazos apenas dibujados sobre sus labios, y volvió a atusarse su lampiña escasez.

—Yo que tú no me preocuparía por eso. Con mandarles un pelotón, enterrarán con ellos el peligro que corre el honor que crees que estás defendiendo.

—Te repito que he dado mi palabra.

—Y yo te digo que tienes la casa infectada de rojos, y que es tu honor lo que debería preocuparte. Alguien podría preguntarse qué es lo que estáis haciendo aquí por la patria, aparte de proteger a los que están luchando contra nosotros.

Hasta ese momento, don Ángel había mantenido si-

lencio, pero la prepotencia del joven militar le exasperó.
Y sus insinuaciones de falta de patriotismo le hicieron estallar. Con palabras escogidas, controlando el tono de su
voz de tal modo que no pudiera traslucirse su cólera, intervino sin permitir ninguna interrupción, para demos-
trarle a Felipe su autoridad. Incapaz de ocultar su acri-
tud, le llamó al orden exigiendo el debido respeto para
su esposa; le recriminó que hubiera puesto en duda su fi-
delidad patria, y le detalló su valiosa aportación, impres-
cindible para la causa, recordándole que cortijos como
aquél suministraban las provisiones que comían y bebían
los ejércitos, y que gracias a fortunas como la suya podían mantenerse; para añadir, aún sin alzar la voz, que su
hija rompería el compromiso con su hermano Leandro,
y que él mismo le explicaría a sus padres el porqué de esa
ruptura, si su esposa no podía mantener la palabra que
había dado, la palabra que doña Carmen consideraba
que debía cumplir.

—Y te digo otra cosa, jovencito. Tú tampoco te salvas
de ingenuo. Es verdad que tenemos rojos trabajando
aquí, pero como en toda la comarca. El que quiera sacar
algo de esta tierra tendrá que aguantarse con eso, o preparar el azadón y dejarse los riñones si quiere cosechas.

A la que lleguemos a mi casa, señor comisario, le voy a hacer entrar en calor, que para estos fríos lo mejor es un buen puchero. Y ya tengo aviado un buen guiso, con sus garbanzos que tiene correspondientes y sus poquitas de espinacas.

Cuando mi santa dio su último suspiro, también era un día de perros. Pero hoy, hoy sí que hasta Dios tirita, de fijo. Algo más se ha debido de romper ahí arriba para que caiga la que está cayendo, que no es normal.

En la atmósfera, ¿no dicen ahora que tiene un agujero en todo el medio?

Pues más grande se habrá hecho, y por ahí se nos está colando el temporal.

Mire, ésa es la casa azul, donde servía la Inma cuando se murió. La del duque ciego. Una casa bien bonita, ¿verdad usted? Lástima que el pobre ciego no la pueda ver. Y mire, mire, ésa que sale es la hija. Dicen que va a casarse, y que la madre quiere convencer al padre de que le compre una finca como regalo de bodas. Por perras no será.

Perras tienen, que se acaba de morir la duquesa.

Eso tiene de bueno ir en coche. Que no te ven, y tú puedes mirar tranquilamente, y cuando quieran darse cuenta, ya te has ido. Y mire, ése que va por ahí es un conocimiento que tengo yo. Menuda pieza, ni la nieve lo frena para ir a la taberna a jugarse los cuartos con su compadre. A ése lo quitaba yo del mundo sin ningún miramiento.

Sí, señor, o le enseñaba la viga donde ahorcarse. ¿Usted no ve cómo va, hecho un pincel?, con su corbata y todo, como un gran señor. Ya entrado en años, empezó a gastar camisas de flores, y de colorines. Y no es sarasa, ni hablar de la peluca, no. Le dio por ahí. Y su mujer hecha una alpargatita, ¿uno, para qué se casa? Una ruina. Ése es de los que piensan que a las mujeres cuanto más les das, más piden. Y yo no digo que no, pero a la parienta también le gusta que la saquen un poco. Y que no le vuelvan las espaldas. ¿Qué le costaría sacarla al sol de paseo? Y más de una vez la hemos visto con el ojo morado, o con un labio partido. ¿Es eso humano? Y el hijo, un gañán lleno de mugre, y endrogado. El pájaro de su padre se lo hecha todo encima, la paga que cobra de una hija tonta que tiene y un sueldo que le quedó de Alemania. Ahí lo tiene, tragando vino a todas horas, hecho un zángano, como si fuera un señorito desocupado y con dinero.

¿Divorciarse aquí? Mire usted, la única que se ha separado en el pueblo está señalada. Y a las demás les da para más aguantar el mal trato y quedarse donde están. ¿Adónde van a ir?

Yo no digo que esté bien ni mal. Está como está. Pero la primera y la única que tuvo redaños para separarse se irá pronto y se llevará su coraje a cuestas, porque ni las mujeres se le acercan, que sus maridos no las dejan por si les da por aprender de ella. Así son, porque así las han enseñado a ser.

Las han enseñado a ir detrás. Pero también las hay atacantes, y aunque las hayan enseñado a ir detrás quieren estar siempre las primeras.

Total, que cuando se murió la Isidora, que mi santa juntó unas perras entre toda la vecindad para hacerle un entierro como Dios manda y que fuera a buscar al Modesto en un ataúd de los buenos en vez de en caja de pino, el tarambana ése dijo que no tenía liquidez. ¿Usted lo puede dar por cierto, señor comisario? Liquidez.

Tal cual se lo estoy contando. La Nina se puso hecha un basilisco. Claro, como a usted los dineros se le van como el agua, le porfió. Y luego le dijo a su señora que el líquido de su marido sólo servía para regar las tabernas. A la pobre mujer se le cayó la cara, más colorada que un esportón de pimientos, que ella no era de roñoserías, pero no pudo dar ni una perra gorda porque no disponía de ninguna. De manera que se ofreció a echarle una mano a la Catalina y a la nuera del Tomás, y se fueron las tres a preparar la mortaja de la Isidora. Les costó lo suyo.

Amortajarla.

Porque ya había alcanzado la rigidez. Y eso que las mujeres se dan buena maña en eso de vestirse y desvestirse, que yo no me explico cómo se las apañan para atinar con esos corchetes en las espaldas, sin verlos, oiga usted, y no es tan fácil, se lo digo yo, que cuando ya los brazos no le daban, me tocó más de una vez abrochárselos a mi Catalina debajo de las enaguas. Lástima que luego averiguó que se lo podía enganchar por alante, no me pregunte cómo, pero ya no se lo enganché más. Pero no quiera ver lo que yo me harté de reír hasta entonces, porque yo no atinaba y ella se ponía más negra que si le hubieran juntado con alquitrán por todo el cuerpo. Y cuanto más negra se ponía, más me daba a mí la risa. Y yo sabía que podía seguir riéndome hasta que se tocara la cicatriz de la cara, porque ése era siempre el primer trueno de la tormenta.

Estaba en que a la Catalina y a las otras les costó lo suyo poner en condiciones a la Isidora. Guapa no pudieron dejarla, porque ya no lo era. Pero lo había sido para espantarse. Si la Isidora pasaba, había que reparar en ella, sin más remedio. Era demasiado hembra, cuando joven, para dar un solo paso sin levantar el aire. Aunque ella no lo sabía.

Porque, de haberlo sabido, no hubiera ido nunca a ningún sitio sin llevar al marido delante. Yo había de procurar mirarla lo justo, para que mi santa no se pusiera como gatina en enero.

Celosa.

No lo era, no. Pero por si un acaso.

Nadie mal hablaba de la Isidora. Pero yo sé que hay gente con ganas de hablar que no saben sujetarse la lengua, y aunque digan bien de uno es mejor que se callen. Gente dañina, señor comisario, muy dañina.

Buena moza, sí, señor, de las que llevan bien apretadas las carnes. Unas hechuras tenía, que no le quiero ni contar. Aunque ni sombra le quedaba en los restos, ni sombra. Pero mi Catalina la amortajó con su mejor vestido después de lavarla y peinarla, y le echó unos pocos de polvos coloretes para dejarla aparente. Y la rociaron con agua de azahar, que ya olía mijina. Aunque la habían taponado bien, que eso es lo que más les costó, por la rigidez que le he dicho, y fue menester, por abajo, empujarle los trapos para adentro con un palo.

Las mujeres saben de eso, a mí me lo contó mi Catalina, que yo no lo vi. Y luego entre las tres, la nuera del Tomás, la Nina y la señora de ese sinvergüenza que hemos dejado atrás, la metieron en el ataúd que le habíamos comprado todos para su último viaje. Todos, menos ése. Y cuando ya la tenían acomodada, en medio de cuatro cirios que nos prestó el cura, que luego se los llevó, y con una jarra de plástico a los pies de la caja llenita de flores, nos dejaron entrar a los demás. Y llegó la Juana, que se podía haber quedado en su casa y así hubiera evitado el estropicio.

Pasó que la Juana, que habló siempre de la Isidora lo que quiso y más, se acercó al ataúd con un nieto del Tomás en los brazos, hecha una pujiede. Y pasó que hizo tantos esfuerzos por llorar que el niño se puso tan pujiede como ella. La Juana lo quiso poner en el suelo, pero el zangolotino se agarró a una asa del ataúd, de esas que llevan en los costados que brillan como el oro, y ella, que es más bruta que un arado, cogió al niño por la cintura, dio un traspiés y, por no caerse, se abalanzó con niño y todo contra una esquina de la caja y allí se estrelló de bruces y se hizo una pitera en la frente. Y menos mal que no tiró para abajo a la Isidora, pero la sangre de la Juana la manchó enterita. Y mi Catalina, con las demás, hubieron de apañarla otra vez, porque no la iban a mandar al encuentro del Modesto así, hecha un nazareno.

La mañana amanecía fresca. El hijo mayor de los marqueses de Senara despertó con las primeras luces que iluminaron el pabellón. Había dormido inquieto. Escuchó unas campanadas y al acabar de contarlas, saltó de la cama para ir en busca de su hermano. Consideró que era una buena hora para marcharse. Debía contarle la conversación que mantuvo el día anterior con doña Carmen, ponerle en guardia frente a las acusaciones de Isidora y advertirle de que esa mujer podía poner en peligro su futuro matrimonio. Y no era conveniente hacerlo allí. Leandro hubiera querido despedirse de Victoria, pero Felipe se impuso, insistió en que el calor no era buen compañero de viaje y abandonaron «Los Negrales» antes de que el sol levantara. Sólo cuando estuvieron a distancia del cortijo, el hermano mayor le expuso al pequeño el tema que le inquietaba.

—Nos reconoció perfectamente.

—¿La que corría como un potro salvaje?

—Sí, Leandro. Y está dispuesta a amargarnos la vida. Si nuestro padre se entera, no quiero ni pensar de lo que sería capaz.

—Pero si nosotros no hicimos nada.

Esa misma tarde, Felipe envió un correo militar al cortijo con un sobre que contenía los documentos que esperaba doña Carmen. Poco después de la llegada del mensajero, en su camino hacia la cocina, Isidora vio salir del comedor a doña Ida con su hermana y con su sobrina. Doña Ida se acercó a ella sonriendo con un papel en la mano.

—Nos vamos, Isidora, mi marido viene a buscarnos mañana.

Y la abrazó. La sirvienta fue incapaz de reaccionar ante aquella muestra de cariño efusivo y mantuvo sus brazos pegados al cuerpo.

—Isidora, no te quedes ahí hecha un pasmarote, ve con Joaquina a hacer las maletas de mi hermana y de las niñas, y dile antes a Justa que les prepare algo de comida fría para el viaje, y que les haga galletas de nata para que se las lleven. Y cuando hayas acabado, vas al gabinete, que tengo que enseñarte unos documentos.

Emocionada y perpleja por el afecto que acababan de mostrarle, Isidora se retiró hacia atrás. Doña Carmen recriminó a su hermana, hablándole entre dientes, de soslayo, apenas sin mover los labios.

—Eres de lo que no hay, Ida. ¿Cómo se te ocurre abrazar a Isidora?

—Porque estoy muy contenta.

—Así no me extraña que te pierdan el respeto las tuyas, con esas confianzas que les das.

Doña Ida le pidió a su sobrina que fuera ella a disponer que preparasen la comida.

—Y dile a Justa que si hace tortillas no les ponga cebolla, que a Pachi y a Elvira no les gusta.

Después se acercó a Isidora, la tomó del brazo y le dijo que no se preocupara de las maletas, que había tiempo de sobra, y que fuera al gabinete a ver si ella tenía también una buena noticia.

—Pero tía Ida, mi madre ya le ha mandado a Isidora que vaya ella a la cocina.

—Victoria, no seas tan señora, hijita, que hay muchas formas de mantener el pelo de la dehesa.

La perplejidad de la sirvienta aumentó al no saber qué órdenes eran las que debía cumplir. Miró a Victoria. Miró a doña Ida. Luego, a doña Carmen.

—Victoria, obedece a tu tía.

Doña Carmen pasó por delante de Isidora haciéndole un gesto para que la siguiera, al tiempo de dirigirle a su hermana pequeña una mirada reprobatoria. Una vez a solas, ordenó a la sirvienta que cerrase la puerta del gabinete. Victoria se dirigió a la cocina sin esconder su mal humor. Mientras, doña Ida subía a la habitación de su sobrina Aurora, para darle la buena noticia y rezar un rosario con ella, y doña Carmen le mostraba unos documentos a su sirvienta.

—Yo no sé leer, señora.

—Esto es un aval. Mira, aquí pone tu nombre. Y en éste, el nombre de Modesto. Si alguien os denuncia por rojos, estos documentos os salvarán. Nadie podrá acusaros de haber pertenecido a la milicia.

Y le explicó que Modesto seguía corriendo peligro. Le contó que estaban reclutando a los hombres en edad militar, y que podían ir a buscarlo en cualquier momento para que se incorporara al ejército. Y le leyó otro escrito. Un pliego que certificaba que Modesto había luchado como un soldado valiente, en la cruzada que la patria libraba contra las hordas marxistas, y que había sido licenciado a causa de una herida de guerra.

—¿Entiendes, Isidora? Con estos papeles estáis a salvo, y con este otro, puedes estar segura de que a tu marido no se lo llevarán de aquí. Y voy a guardarlos yo, para que no se pierdan. ¿Lo entiendes? Yo he cumplido mi parte. Y nadie sabrá por mí que habéis luchado en el frente, ni que tú asesinaste a un soldado.

Isidora no entendió algunas palabras, como hordas, o cruzadas, aunque imaginó que serían importantes. Sin embargo, comprendió que doña Carmen acababa de guardar la garantía de su vida y de la vida de Modesto con aquellos escritos, y que al bajar la persianilla de madera de su secreter, y al cerrarlo con llave, había cerrado los labios de Isidora. Y comprendió también que había llegado el momento en que no le estaba permitido mirar hacia atrás.

Esa misma noche, Isidora le explicó a su marido la importancia de los documentos que no le habían entregado. Camino del cortijo, adonde se dirigían los dos para asistir a la representación de *Los siete cuervos*, Modesto le preguntó por qué los había guardado la señora.

—Dice que allí están a buen recaudo.

—¿Eso dice?

—Sí.

—Bueno está si ella lo dice, que bien agradecidos tenemos que estar a la señora.

En el patio interior del pabellón de invitados, Catalina y las hijas de doña Ida habían colgado una sábana entre dos arcos a modo de telón. Modesto e Isidora pagaron el pequeño precio que las niñas cobraron por la entrada, como los demás habitantes del cortijo, que se acomodaron en los asientos que las pequeñas habían alineado con todas las sillas que encontraron. Incluso Aurora, a pesar de que se negó en principio a volver a pisar aquel patio, se sentó con sus padres y su hermana en la primera fila, cediendo a la insistencia de Catalina, que se había aprendido el papel gracias a su ayuda. Todos olvidaron los duelos por sus muertos aquella noche. Las risas llenaron el patio cuando doña Ida se tiró al suelo para cantar un cuplé después de la representación teatral y, como final de fiesta, los espectadores se lanzaron unos a otros los huevos de colores que las niñas habían pintado y rellenado de confetis.

Al día siguiente, doña Ida se marchó con sus hijas y con su marido, que había ido a buscarla a primera hora de la mañana. Antes de subir al automóvil, abrazó de nuevo a Isidora.

—¿Tuviste buenas noticias ayer?

—Sí, señora, las tuve.

Isidora la vio alejarse por la alameda sacando una mano por la ventanilla y mirando hacia atrás mientras se despedía. Y sintió cómo «Los Negrales» perdía con su marcha parte del aire que se respiró mientras estuvo allí.

La guerra continuaba. Y el temor de Isidora a encontrarse con Leandro y Felipe disminuía a medida que el tiempo pasaba sin que visitaran de nuevo el cortijo. En los meses que siguieron, estuvo atenta al camino, y anduvo de prisa sin dejar de volver la cabeza a cada paso. Pero poco a poco se fue serenando. Hasta que caminó despacio y dejó de mirar atrás, olvidando el sobresalto que la acompañaba, sintiéndose cada vez más fuerte ante la posibilidad de encontrarlos en su camino.

La primera vez que se cruzó con ellos, estaba con Zacarías.

El cartero caminaba hacia «Los Negrales» bajo la techumbre verde y fresca que formaban las copas de los álamos, y alcanzó a Isidora en mitad de la alameda. Isidora se ofreció a llevar la correspondencia para evitarle subir hasta el cortijo, pero Zacarías era nuevo en el oficio, y se negó, por su prurito de entregar las cartas en la dirección exacta que llevaban en el sobre.

—Las cartas, en su destino. Y nunca a mitad de camino.

—Chacho, qué redicho eres, Zacarías.

—Profesional, se llama eso.

Cuando llegaron a la casa, Zacarías gritó el nombre de Aurora Albuera y Paredes Soler. Isidora se detuvo a mirarle, sonriendo, y al instante, vio salir a los hermanos. Victoria, situada entre ambos, les tomaba un brazo a cada uno.

—¿No tienes otra cosa que hacer que no sea mirar al cartero? Dame el sobre, Zacarías, y vete ya, que me la estás entreteniendo.

Isidora sintió las miradas de Felipe y Leandro, ambos la saludaron.

—Buenos días.

Ella contestó al saludo sin mirarlos, y les dio la espalda para dirigirse al patio trasero.

—Espera, Isidora, coge la bandeja de la correspondencia y llévale esta carta a mi hermana.

—Así, que ésa es Isidora.

—Ésa es, la misma que corría.

—Calla.

Al escucharlos, Isidora supo que los hijos de los marqueses de Senara estaban al tanto del secreto que ella debía guardar. Mientras caminaba hacia la mano extendida a coger la carta, la asaltó una sensación contradictoria. Asco, y poder. Asco, al sentirse descubierta. Poder, al tomar consciencia de que ellos también debían guardar su secreto. Entonces comenzó a saber que los hermanos también tenían miedo, y ella comenzó a perderlo. Y al llegar junto a Victoria, llevaba ya el cuerpo erguido y la cabeza alta.

La carta que Isidora le entregó a la enferma esa mañana sería la última del médico en llegar. Aurora esperó la siguiente durante meses, entreteniendo su tiempo en enseñar a Catalina a leer y a escribir, y convenciéndose a sí misma de que la ausencia de noticias se debía a un fallo en el funcionamiento del correo. Sin embargo, Zacarías continuaba gritando nombres a la entrada del cortijo, que nunca eran el suyo. Lamentó no haber leído todas las cartas del doctor Palacios. Lamentó haberlas quemado. Y lamentaba estar casi curada de su enfermedad y no poder decírselo a él. Entonces decidió escribirle a su consulta. Y a los pocos días, el cartero llegó a «Los Negrales» y entregó un sobre para ella sin haber gritado su nombre. Fue Victoria quien se lo llevó al gabinete. Catalina estaba con ella, pegando con engrudo en su cuaderno las estampas que le había regalado Aurora, y apuntando su nombre debajo de cada virgen y de cada santo.

—Aurora, el médico no te va a escribir más.

Su hermana se marchó sin añadir palabra. Le había puesto en las manos su propia carta, la que ella escribió para el doctor Palacios. Catalina le arrebató el sobre de las manos, y ella palideció al escucharla.

—¿Qué quiere significar defunción?

Aurora se levantó, le pidió a la niña que le devolviera el sobre. Se dirigió a su habitación, y quemó la última carta que recibiría, la primera y la única que se atrevió a mandarle al médico, que había sido devuelta al remitente. Después se sentó en su hamaca, mirando sin mirar al porche del pabellón, y ya sólo se movería de allí para ir a dormir. Isidora seguía atendiéndola por las mañanas, y Catalina acudió a ella todas las tardes con su cuaderno, para que le corrigiera las letras que escribía. Pero Aurora se había entregado a su antigua languidez, se abandonó a ella como si se hubiera zambullido en el agua. No deseaba oír. No deseaba ver. No deseaba sino sentir que se ahogaba. Y la niña optó por escribir canturreando a su lado, al tiempo que Aurora se consumía. Ante el creciente deterioro de la enferma, su madre mandó traer al padre Romero, pero ella se negó a hablar con su confesor. Doña Carmen intentaba animar a su hija sin conseguirlo. Le informaba de los avances del ejército nacional, y del inminente fin de la guerra, pero las noticias pasaban sobre ella, y ella continuaba hundiéndose, mirando sin mirar al porche.

Catalina dejó de ir a la habitación de la enferma por indicación de la señora, que consideró que la vivacidad de la niña perturbaba a su hija. Y la pequeña comenzó a planchar por las tardes junto a Isidora y Joaquina, mientras ellas cosían o machacaban aceitunas con Justa ensimismadas en los seriales radiofónicos que entusiasmaban a todas. A media tarde, le preparaban un pozo de pan con aceite y azúcar, o un tomate y un pepino abiertos aderezados con sal. Y Catalina saboreaba su merienda escuchando a las sirvientas, que le relataban las historias de los señores. Y pedía siempre más pan, y que le contaran más historias. Se dejaba arrastrar por las voces melodiosas de Justa, de Isidora y de Joaquina, y por los sueños que la llevaban en barco a Manila, donde había nacido el padre del duque ciego, después de que su abuelo, un banquero arruinado, recuperase la fortuna perdida tras un golpe de suerte. Al hilo del relato, las sirvientas inventaron un refrán para explicarse a sí mismas cómo el duque pudo superar la bancarrota:

> *A los que saben amasar cuartillos,*
> *aunque se vean en la ruina,*
> *nunca se les cae el polvillo de esa harina.*

La niña contenía la respiración, y mantuvo sus ojos abiertos permitiéndose tan sólo los parpadeos voluntarios, para escuchar que el banquero había llegado al puerto de Barcelona con su familia, y con poco dinero. Y antes de embarcar, gastó lo que llevaba en un boleto de lotería. Catalina habría actuado como el banquero. Lo habría arriesgado todo en buscar la suerte. Pero el abuelo del duque se arrepintió de haberlo hecho y vendió la mitad del número al día siguiente de zarpar, ante el temor de llegar sin nada a Filipinas. Selló el acuerdo con un desconocido apretando su mano. Ni el abuelo del duque le dijo el número, ni el caballero le abonó el importe de su medio boleto. Y cuando el barco arribó a puerto en Manila, y el abuelo del duque se enteró de que había sido premiado, buscó al caballero desconocido para repartir el premio. Catalina abrió aún más sus ojos asombrados cuando escuchó que a pesar de que el caballero se negó a cobrar su parte diciendo que no la había pagado, el abuelo del duque insistió en que había sido un pacto de honor y repartió el premio. El caballero le dijo entonces que necesitaba un socio honesto para montar un negocio, que pensaba buscarlo una vez instalado en Manila, pero que creía que no iba a ser necesario buscarlo.

—Y montaron un negocio juntos. Y se hicieron riquísimos los dos.

—Qué idiota.

—¿Quién?

—El abuelo del duque.

Catalina no habría vendido la mitad del boleto en plena travesía. O al menos, no habría insistido en repartir el premio con aquel señor que lo compró sin conocer el número y sin haber pagado su parte siquiera. Ella habría puesto sola el negocio, y habría vuelto al pueblo el doble de rica de lo que el abuelo del ciego volvió. Ella no habría demostrado a nadie que era honesta diciendo que el apretón de manos es un pacto de honor.

—Fo, qué burra eres, Nina. Le había vendido el número.

—Pero no se lo había pagado.

—Cucha, ¿y qué? Aunque no se lo hubiera pagado, era de ley que repartiera con el otro. La palabra de un caballero es la palabra de un caballero.

—Pero yo no soy un caballero. Y no se dice cucha, ni fo.

Las mujeres reían con ella. Y apenas sin darse cuenta, Catalina recuperó en aquella casa lo que había perdido en la suya. Isidora le enseñó a coser. Sentada junto a ella en una pequeña silla de madera escuchaba las historias que le seguía contando los domingos, cuando se la llevaba a su casa para pasar la tarde con ella y Modesto. Y le contaba también los cuentos que a Isidora le había contado su madre.

—¿Quieres que te cuente el cuento de la buena pipa?

—Sí.

—Yo no digo que sí ni que no, sino que si quieres que te cuente el cuento de la buena pipa.

—Que te he dicho que sí.

—Yo no digo ni que te he dicho que sí ni que te he dicho que no, sino que si quieres que te cuente el cuento de la buena pipa.

Pasado un tiempo, la niña pidió ir también a casa de Isidora las tardes de los jueves. Isidora le hacía compañía, y ella acompañaba a Isidora. En ocasiones, iban juntas a la fuente. Isidora caminaba junto a ella, orgullosa del peso que podía cargar, un cántaro en la cadera izquierda y un botijo en la mano derecha. La veía tomar carrera y aminorar la marcha cuando llegaban a la casa de Lourdes, la viuda del alfarero. Su hijo estaba en la puerta cada vez que ellas pasaban.

Y en la fuente las encontró Antonio a las dos juntas el día que acabó la guerra. Isidora escuchó el fandango que el hijo de Lourdes cantó para Catalina, y vio cómo ella le ofrecía un sorbo de agua de su cántaro.

Ese don Carlos vino aquí a emponzoñarlo todo. La familia se llevaba bien hasta que llegó, cuando se murió la madre de doña Victoria y él se encargó del reparto. Y estaba en el cortijo la noche que los mataron, señor comisario. Estaba en el comedor, lo mismo que la señorita. Y el hijo de la Isidora estaba en el pasillo.

No sé por qué no se lo han dicho ellos. Yo no sé por qué la señorita Aurora se empeña en decir que ella estaba en la cama cuando escuchó los disparos, y que el abogado ya se había ido para el pueblo. Yo no lo sé. Yo no sé por qué quieren decir que ellos no estaban allí. Yo únicamente le puedo explicar por qué no se lo he dicho yo antes.

Porque a mí no me gusta meter las narices en pleitos ajenos. Pero ahora que mi nieto está encerrado, y me pertenece el pleito, le digo que allí estaba ese liante, que el hijo de la Isidora no tenía motivos para decirme que allí lo vio sin haberlo visto.

Lástima de no habérselo referido la primera vez que hablé con usted, porque puede dar en creerse que hoy le ando con inventados para que suelte a mi Paco. Pero lo que le cuento es verídico, cosas verídicas y bien verídicas.

Como que el hijo de la Isidora le quitó al abogado la escopeta de las manos cuando llegó al comedor, que estaba manchada de sangre y por eso él vino a mi casa manchado.

Sangre había en la escopeta, sí. ¿Le extraña? Y mucha, como de haber pegado más de un fogonazo a bocajarro y el que recibió los tiros hubiera salpicado.

Los reventaron de cerca, ¿verdad usted?

Ahí lo tiene.

Nadie me lo ha contado. Yo sólo tiro del hilo y saco la madeja. Y a esos pobres desgraciados les tuvieron que estallar las venas. Igualito que hacen los niños con las tripas en las matanzas, las que sobran de hacer la chacina, que las llenan primero de agua y después las estrumpen.

Oiga, ¿y es verdad que al señorito Manuel, el marido de la señorita Aurora, se le escapaban las asaduras por las espaldas?

Eso van largando algunas lenguas que no gastan cuidado.

Claro, claro. Mayormente, las malsanas. Y dicen también que ése sólo buscaba los dineros, y que andaba en negocios más turbios que claros con el señorito Julián, el hermano de la señorita Aurora. ¿No le da a usted que se podría mirar por esa pista? Porque dicen que los cuñados eran uña y carne, y que entre los dos querían quitarse de en medio a don Carlos.

Por doquier hay que mirar, que mi nieto no ha sido, leche. Se lo digo yo.

¿Decía usted?

¿Y qué me quiere decir con eso?

Algo me quiere decir, y no puede. Por el sumario ése, secreto, ¿no?

Si tiro del hilo de la sangre, no sé.

Mancha algo más que la escopeta, sí. Y más allá de las manos.

El hijo de la Isidora no traía más que la que se fue con el agua por el pilón.

La ropa. La ropa tiene que manchar, señor comisario. Y los zapatos.

Quiere decirse que a mi nieto no lo han prendido sólo por la escopeta. Quiere decirse que lo ha señalado la sangre. Y que por eso no lo han de soltar. Y que usted lo sabe, como lo sabe mi Paco.

Yo no sé qué carajo demuestra eso. Pero sé que le queda a usted por demostrar que todo el que lleve cadenas merece estar encadenado, y que malo ha de ser.

Ya estamos llegando, sí, señor.

Recontra que viene dificultoso bajar de semejante trasto.

Que no. Que no me da esta pierna. Abra usted más la puerta, por el amor de Dios.

¿Cómo quiere que me fije en la forma y manera que ha bajado usted que tiene las caderas la mar de sanitas?

¿No está viendo que no? ¿Que me he quedado retorcido como animal en la trampa?

A ver.

No me coja de los sobacos, leche. ¿Qué ha de tirar de

ahí, si no planto antes los pies? Usted déjese donde está, que yo me apoyo en su brazo.

Bueno, sí. Ya estamos, pero sabía yo que tenía que haber venido andando.

Antes de entrar, me va a permitir usted que le dé una conseja.

¿Me permite que se la dé, señor comisario, antes de dar por cierto que no he de ver nunca más a mi nieto sacudirse el barro en este umbral?

Porque si la cosa sigue como sigue, yo me habré muerto ya cuando él salga. Si es que antes mi Paco no se ahoga sin aire allí dentro.

Pues entonces, permítame que le diga que si yo fuera usted, no me quedaría tranquilo hasta no haber abierto el ropero del señor abogado. Busque.

Porque hay manchas que se ven en seguida. Pero por muy aseado que uno parezca, no tiene por qué ser menos guarro. Y hay limpios y limpios. Y hay otros. Los hay que saben esconder la roña. Que también se tapa lo negro con blanco.

Acabada la guerra, el ejército victorioso decidió celebrar un desfile por el triunfo conseguido. La gran parada marcharía al son de la orquesta municipal, y militares y civiles entonarían los himnos a su paso, glorificando la muerte en canciones que algunos traían aprendidas y otros se vieron obligados a aprender.

Los marqueses de Senara habían regresado de su exilio justo a tiempo de presenciar el júbilo militar. Se dirigían con sus cinco hijas al ayuntamiento, donde verían desfilar a Leandro y a Felipe desde el palco de honor que les habían reservado junto a las autoridades. Al llegar a la acera del casino, encontraron a los Albuera sentados al abrigo de un velador. Don Ángel abandonó la rigidez de su postura al verlos llegar y se separó del respaldo de su sillón. Su esposa y su hija se inclinaban hacia él en una actitud, según le pareció a la marquesa, que indicaba que las mujeres intentaban convencerle de que cediera en algo. Los marqueses los saludaron, y la familia se levantó para corresponder al saludo.

—¿Cómo está Aurora?

—Mejor, mejor. Gracias.

Doña Carmen mintió. Desvió el interés de doña Jacinta por la enferma jugando a reconocer a sus hijas gemelas.

—Tú eres María, la de los pendientes azules. Y tú, Piedad.

—No, María es la de los pendientes blancos. Siempre te equivocas.

Las niñas rieron, les divertía el juego de la confusión. Se llevaron la mano a las turquesas y a las perlas que adornaban los lóbulos de sus respectivas orejas y encogieron los hombros. Doña Carmen les acarició las mejillas, y Victoria se dirigió a la marquesa.

—Jacinta, ¿verdad que podemos ir con vosotros al palco presidencial?

Su padre la recriminó diciendo que ya habían discutido ese tema, le rogó que no entretuviera a sus suegros, e insistió en asistir al desfile desde el lugar en el que se encontraban.

—Pero, papá, desde aquí no vamos a ver nada.

Los marqueses sugirieron que Victoria los acompañara. Don Ángel accedió a que su hija presenciara el desfile junto a la familia de su prometido, y él permaneció con su esposa en el velador.

Cuando los estandartes pasaron ante el casino, doña Carmen se puso en pie y, como todos los presentes, alzó la mano para cantar. No había reparado en que su marido apretó las espaldas contra su asiento y levantó únicamente la barbilla. Y no supo que lo habían detenido hasta que no vio cómo dos soldados se lo llevaban en volandas, sentado en el mismo sillón que se negó a abandonar cuando le ordenaron ponerse en pie, gritando que él sólo se levantaba ante el rey. Victoria tampoco dio crédito a sus ojos, y temió un nuevo aplazamiento de su boda, una nueva catástrofe, al ver a su padre bamboleándose aferrado a los brazos de su asiento camino de las dependencias carcelarias, entre el asombro del público que le escuchaba vociferar que el ejército no cumpliría su promesa de restituir la monarquía.

Pero no fue necesario posponer el enlace matrimonial. El marqués de Senara intervino para que el padre de la novia fuera puesto en libertad al día siguiente de su detención, consiguió que se anulara el documento que le señalaba como desafecto al régimen, y convenció a su consuegro de que se marchara por un tiempo, una vez que su hija se hubiera casado.

Inmediatamente después del banquete nupcial, donde toda la familia celebró al señor Albuera como a un héroe, los novios abandonaron el cortijo rumbo a su luna de miel y los padres de la novia se dirigieron a la capital llevándose a su hija enferma.

Ninguno de los invitados pernoctó en «Los Negrales». El desorden festivo dio paso al trajín de los criados, que se afanaban en recomponer el escenario de la recepción, para que el joven matrimonio lo encontrara restaurado a su regreso.

TERCERA PARTE
—

Así mismo digo yo: la comida, poquita, para que sepa buena, aunque al día siguiente se coma otra poquita.

Aprendí sólo con ver a mi santa, ¿de verdad le ha gustado?

Uno disfruta en la mesa, y con la parienta. Son las dos cosas con las que se disfruta de fijo, y ahí sí que somos todos iguales, como decía el Emilio, un cocinero que trabajaba en la casa azul y se prendó como loco de una muchacha y se la llevó para Italia sin pedir permiso a nadie. Se llamaba como mi hija, Inmaculada, y servía también donde el duque ciego. El Emilio no bebía la vida, se la tragaba, pero sin prisa, como tiene que ser. Y sin prisa se llevó a la muchacha, pero se la llevó bien lejos.

Tenga otro tinto. A mí se me antoja que algo le faltaba a este guiso. La Catalina lo aviaba en su punto de sabroso. Ya sabe, las mujeres valen para la cocina.

Para los hijos también, claro. Y para las faenas de la casa, que ahí no hay varón que las iguale. Ni que tenga ganas de igualar.

La Nina se guaseaba de las que andan siempre con el trapo, como si fuera el final de la mano.

Rarezas. Porque raras sí que son, ¿verdad usted? Y algunas más que otras.

Ella, mi santa, era requetelimpia. Y limpiaba, pero sin exagerar, que ha de haber mesura en todo, y la demasía es pura ansia y nada más que ansia, y eso no puede ser bueno. ¿Usted no ha conocido a ninguna de ésas?

Muy molestas, mucho. Porque, de resultas, luego se quejan de estar todo el día limpiando. Yo no sé si limpian para presumir de lo brillante que lo dejan o para quejarse de haberlo limpiado. Tanto brillo, tanto brillo, cuando se sabe de fijo que lo muy reluciente ciega lo mismo que lo oscuro. Mi santa no repasaba por donde ya había pasado la víspera ni una sola vez, no le gustaba eso de perder las horas en el estropajo. Ella prefería perderlas conmigo.

Dele otro tiento al vino.

Yo se lo voy a dar, con su licencia. Y a su salud. Que esto no hace mal si es de cuando en cuando.

Sí, señor. Ella sabía. Se lo digo yo, sabía y disfrutaba con cualquier cosita, como el Emilio. Y a su hija le decía siempre que buscara con quien gastar sus horas, que no nos dieron la vida para desperdiciarla en simplezas. Y se empeñaba en que aprendiera que una mujer de su casa no precisa más que poner cada cosa en su sitio, y tiempo para tener al marido contento. Pero a la Inma no le sirvió para nada lo que la madre le pretendía enseñar. La Inma perdió la vida cuando encontró al que no quiso gastarla con ella.

No, señor, no tuvimos más hijos. Mi santa quedó averiada después de parir a la Inma. Y mire que la Isidora le dio brebajes y yo me empeñé a conciencia, no vaya a creer que no puse lo mío, que la dejé encinta una pila de veces. Pero no parió más criaturas, porque no cuajaba ninguna y se desbarataba la cosa. Y a la Isidora le pasó idénticamente, y eso que tuvo un parto bueno, la comadrona dijo que había tenido la hora más cortita que había conocido. Pero el Modesto y yo nos quedamos con un solo hijo, por mucho que ellas se arrimaran todos los remedios conocidos y por conocer, y nosotros nos arrimáramos a ellas. Y ya lo ve, nos hemos tenido que apañar a la fuerza sin que nadie nos echara una mano.

Mi nieto no cuenta. El Paco sólo está a buena merced con sus borregos. Todos le quieren. Y él a ellos, y los acaricia, y los tiene bien limpitos, y cuando llega la hora de encerrarlos, los arrea halagándolos uno a uno, para que sepan que no es de su gusto darles encierro.

Yo le digo a usted que si mi santa hubiera tenido al menos otro hijo, habríamos pasado la mitad de penas.

Sí, señor, de penas, la mitad. Por lo menos. Un varón. Un varón me hubiera gustado a mí, que aunque siempre hayamos tirado para alante, no nos habría venido malamente otro jornal.

¿Y para qué si no? Los hijos vienen al mundo para ayudar a los padres. Aquí el que tiene muchos hijos se las arregla mejor que el que se queda corto en ellos. Y mal ha de ser que entre todos no junten un cerro de reales bien avenidos.

Antes era así, señor comisario, y yo le estoy hablando a usted de antes. ¿Es, o no es?

Es, pues claro que es. Sin ir más lejos, mi madre trabajó en el campo hasta que se casó. Empezó de chica, como todos sus hermanos, que eran nueve, y conforme iban llegando a la edad de usar la razón y las manos, el padre los ponía a faenar en el cachino senara que tenía al pie del Jusero. No había labor que no sudaran, ora manejar la vertedera, ora desparramar el estiércol, o bregar con los sarmientos para apañar escobones después de la vendimia. Nadie le regaló nada a mi abuelo, y tampoco a mi madre, que arrancando uvas se dejó en las viñas el pellejo de las manos, y cuando se murió tenía los dedos hechos un gurruño, más retorcidos que los mismísimos nudos con los que amarraba las escobas. Con su sangre se ganó su pan, y hasta la muerte la tuvo en sangre, que la echaba por los dientes y por debajo de las uñas, y estaba cuajaíta de cardenales. Sangraba con tocarla, oiga usted. La vio un médico de pago, nos largó unas palabrejas muy raras, con unos términos, que ni mi santa ni yo fuimos capaces de entenderlo, y luego sentenció que era por alimentarse malamente. La puso a plan y le recetó unos medicamentos, buenísimos, que unas cuantas de perras nos dejamos en la botica. Pero al día siguiente se reunió con mi padre y dejó en el plato el jamón que la Nina le había cortado a tijera, menudino, y el zumo de cuatro limones que había estrujado. Y le dejó entero el jergón a mi nieto, para que durmiera él solito a sus anchas.

Dormía con ella, sí, señor. No había otro sitio. A lo primero durmió con nosotros, y cuando ya fue grandecito y se iba dando cuenta de lo que no tenía que enterarse, que los esposos de noche son hombre y mujer muchas veces, mi madre se lo llevó al jergón. A mi Catalina no le gustaba bastante. Señora Lourdes, le rezaba, ese jergón es muy chico. Y mi madre replicaba que nuestro catre tampoco era grande. Dormían a gusto con él. Lo querían a morirse. Conque el niño que nació sin madre tuvo dos hasta que faltó la mía.

No, él tampoco fue. Desde bien chico se puso al pastoreo.

Usted cree que es cosa de otros tiempos. Pero yo le digo otra verdad: yo sé bien que aún hay muchos que quitan a los hijos de las escuelas en cuanto están en edad de quitarlos.

Yo no entro en que esté mejor ni peor; pero comer, comen más.

El pan de hoy es para hoy. Y para el hambre de mañana, hay que agenciarse otro pan.

Nosotros hemos aprendido otras leyes, señor comisario.

¿Cómo me va a entender? Ni usted ni nadie que no haya probado la miseria; que no ha nacido persona que se emborrache con el vino que otro se traga.

Mire, no me cambie de tercio. Aquí estamos usted y yo, nadie nos oye y nadie nos ve. No quiera venirme ahora con monsergas. Ni ante Dios ni ante el demonio, ni ante esa ley que usted dice, tenemos iguales los derechos.

Y yo le digo que no hay ley que se pueda comer, ni de antes, ni de ahora.

Lo que mis ojos han visto hasta aquí es que las escuelas se las han repartido siempre los mismos.

Y dale con la ley. Qué ley ni qué ley. Dígame de qué nos ha servido a nosotros la ley. Ni ésa, ni ninguna.

¿De qué me está hablando?

Pues si está escrita, escrita se puede quedar. La ley será la ley. Y yo no sé si habrá ley. Qué leche voy a saber yo.

No me venga con jerigonzas. Hábleme usted con palabras que yo pueda entender, no me ponga como ejemplo a mi nieto y no mezcle la ley con la justicia, que me está buscando la boca y me la va a encontrar.

¿Ah, sí? Pues entonces, dígame cómo es posible que mi Paco no intente salir del callejón donde le han metido. Dígame por qué no intenta salvarse. Y por qué no ha querido hablar con usted que lleva la ley en la cara. Dígame, ¿no será que sabe que no hay justicia que lo salve de la sangre que llevaba encima? Y dígame, señor comisario, dígame si usted va a buscar otras manchas. Y si el abogado las tiene, si lo ha de prender. Que la justicia será la justicia cuando el que haya tenido una escopeta en las manos lo mismo que mi nieto, y el que lleve la mancha de sangre lo mismo que él, acabe lo mismo en la cárcel. Y si yo veo que ése de camisa flamante acaba donde mi nieto, entonces no me hará falta saber qué carajo es la ley, y cuál es la diferencia con la justicia.

Los acontecimientos se sucedieron precipitados tras la marcha de los Albuera a la capital. Su hija pequeña empeoraba de forma alarmante. Los médicos se veían incapaces y Aurora deseaba regresar al cortijo, convencida de que iba a morir. Su madre llamó a Victoria y, al comunicarle los deseos de su hermana, la despojó del sueño que había madurado durante su luna de miel y que se concretó al entrar en el cortijo convertida en señora de la casa. Victoria se vio obligada a aceptar de mala gana que su familia se instalase de nuevo en «Los Negrales» creyendo que era un capricho de la enferma, sospechando incluso una secreta intención: fastidiar con su presencia su recién estrenada soberanía al obligar a su madre a regresar. Pero no había entendido bien. Únicamente Aurora regresaría. Sus padres no debían abandonar la capital hasta que el incidente del desfile dejara de suponer un riesgo para don Ángel. El alivio al escucharlo hizo que Victoria recuperara la autoridad perdida por un momento, y se sintió de nuevo dueña y señora de «Los Negrales».

—No te preocupes, mamá. Isidora y Catalina se harán cargo de ella, y la cuidarán, como antes. Tú quédate con papá. Y tranquila.

—¿Catalina? ¿Pero no se la has devuelto a tu suegra? ¿No le dijiste que te quedabas con ella hasta después de la boda?

La hija le contó, orgullosa de saber solucionar los problemas que acarrea el gobierno de una casa, cómo había resuelto el primer conflicto doméstico que se le había presentado. Cuando Catalina no quiso separarse de Isidora, ni de Justa, ni de Joaquina, Victoria habló con la marquesa de Senara.

—Ya sabes que Jacinta es un encanto, mamá. Y lo ha entendido perfectamente.

Catalina continuó al servicio de Victoria. Atendió de nuevo a la señorita enferma en cuanto regresó, y asistió impotente a su paulatino deterioro. Le llevaba las bandejas con la comida, y las retiraba sin conseguir que comiera. Leía para ella aunque no la escuchara. Repasaba palabra a palabra la Historia Sagrada, y las vidas de los santos en los libros donde Aurora le había enseñado a leer. Martirios y milagros; glorias, pecados, culpas, venganzas, castigos y arrepentimientos se mezclaban para salir despacio de los labios de Catalina, mientras Aurora se golpeaba el pecho con su escapulario apresado en un puño, sin oírla siquiera, desde su místico arrebato.

—¿Quiere que le cuente el cuento de la buena pipa?

Ella intentaba distraerla de su aflicción con otros cuentos, los que había aprendido de Isidora en las tardes de domingo.

—Yo no digo que se calle ni que no se calle, sino que si quiere que le cuente el cuento de la buena pipa.

Se ovillaba en el suelo junto a la mecedora de la enferma y la arrullaba con el tono de su voz hasta que se quedaba dormida. Dormida. Y así la vio por última vez. Dormida. Y corrió a buscar a la señorita que se había convertido en señora, para decirle que no despertaba.

—¿Cómo que no despierta?

—Que no despierta. Que no. Que siempre que me voy levanta los ojos y me dice gracias, Nina, y ahora no los levanta ni mijita.

Victoria subió la escalera tan aprisa como su estrecho vestido se lo permitió, pero no pudo alcanzar a Catalina, que se encontraba arrodillada a los pies de la hamaca cuando ella entró en la habitación, acercando las puntas de sus dedos a un brazo de Aurora.

—¿Lo ve? A mí me da por barruntar que este sueño que tiene se parece mucho a la muerte.

Parecía dormida. Parecía abandonada a la comodidad de su mecedora.

—Calla, Nina, por Dios.

Su cabeza reclinada se deslizó hacia uno de sus hombros y sus manos resbalaron de sus piernas. La hamaca se movió con la presión que los dedos de Catalina ejercieron en el brazo de la enferma. Y Catalina apartó la mano como si la retirara del fuego.

—¿No está viendo que se menea el butacón, pero la señorita no se menea?

Victoria se acercó a su hermana sin atreverse a tocarla. Incapaz de comprobar si dormía, o no dormía.

Unas horas después, llegaron los Albuera. Encontraron a su hija menor en el pabellón de invitados rodeada de cirios encendidos en un catafalco improvisado. Yacía sobre un manto negro en la mesa del comedor de los trofeos, vestida con un hábito blanco, con el escapulario de la Virgen del Carmen sobre el pecho y las manos entrelazadas en su rosario de cuentas de cristal.

Las pompas fúnebres se celebraron con el mayor boato. Una carroza tirada por ocho caballos trasladó a Aurora al convento. Novicia de nuevo. Doña Carmen y Victoria la vieron alejarse por la avenida de álamos y no pudieron contar los automóviles que la seguían despacio, ni los jornaleros que culminaban a pie el cortejo detrás de los deudos. El padre de la novicia ocupaba el primer vehículo. Cuando supo que se encontraba fuera del alcance de la vista de su esposa, retiró de sus piernas la capa española que lo cubría y sacó de uno de los bolsillos de su chaqueta una petaca de plata. Su cuñado Federico, el marido de doña Ida, viajaba junto a él. Le observó beber con prisas, y esconder la petaca mientras se secaba una lágrima. Ambos cargaron el ataúd a hombros cuando la comitiva llegó al convento, ayudados por el marqués de Senara y sus dos hijos varones, y lo introdujeron en la capilla adornada con crespones negros. En el primer banco, don Ángel no cesó de acariciar la cinta de su sombrero, dándole vueltas con la misma lentitud con la que parpadeaba sin dejar de mirar al frente con un gesto de rencor, con los ojos clavados en el retablo del altar, en el Cristo que no le miraba, mientras don Matías celebraba la misa y rociaba con un hisopo el féretro de caoba cubierto de coronas de azahar que ocultaba a su hija. Las religiosas de la comunidad cantaban en el coro y, tras la celosía, la madre Amparo consolaba a la hermana portera. Los hombres cargaron el féretro de nuevo cuando el oficiante lo indicó y salieron con él de la capilla al paso de un réquiem. El padre entró al panteón del pequeño cementerio llevando en el hombro a su hija por última vez. Y fue el primero en ver la tumba abierta, el abismo que acogería al miembro más joven de su familia, y la lápida que no señalaba su nombre, ya que su esposa había decidido que la enterraran como sor Eulalia. Y en el mármol blanco que selló el hueco recién cubierto, fue el primero en leer la fecha de su muerte en letras grabadas en cobre, diez días antes de que llegase a cumplir los veinte años.

Pero ésa no sería la única pérdida que la familia debería afrontar. Antes de que hubieran podido asumir el dolor, antes incluso de conocerlo a fondo, cuando la salmodia en los rezos de Aurora no había enmudecido del todo, otra pérdida señalaría a los Albuera y Paredes Soler.

Se preparaban ya para regresar a la capital, cuando el hijo mayor de los marqueses de Senara llegó a «Los Negrales». Felipe ostentaba un alto cargo militar, había decidido permanecer en el ejército una vez acabada la guerra y su ascenso fue rápido, probó su lealtad, paralela a su ambición, demostrando su valía con la dureza sistemática que empleaba en las misiones de represalia que le fueron asignadas. Acudió de uniforme al cortijo, y reunió a la familia en el gabinete para comunicarles, extraoficialmente, que Federico había sido detenido. El horror prendió en los ojos de doña Carmen que, sin darse cuenta, dirigió sus pasos hacia él.

—Acabo de enterarme. No puedo hacer nada, Carmen.

Doña Ida y su marido se habían marchado a Pamplona el día anterior, inmediatamente después del entierro de su sobrina, pero a él lo esperaban en la puerta de su casa y no había llegado a entrar. Doña Carmen intercedió ante Felipe. Y él insistió en que no podía hacer nada. Lo habían condenado a la pena capital en juicio sumarísimo, y no tardarían en llevar a cabo su ejecución.

—Te aconsejo que dejes las cosas como están. Os estáis significando políticamente, Carmen. Tu marido armó una comedia en el desfile, pero lo de tu cuñado es alta traición. Lo mejor sería que os fueseis inmediatamente como teníais pensado.

—Pero tienes que hacer algo.

—Federico se ha metido donde nadie le ha llamado, y de ahí no hay quien lo saque. Ha sido condenado en un Consejo de Guerra.

—No puedo creerlo, Felipe. Es el marido de mi hermana. Habla con quien tengas que hablar.

—Escucha, esta vez no es tan fácil. Se trata de un separatista, de un traidor, de un canalla que ha puesto en peligro a su familia.

—¿A su familia? Pero ¿y mi hermana? ¿Dónde está mi hermana?

—No te preocupes, no le pasará nada. La he llamado personalmente. Ida no debe hablar con vosotros, y nadie deber saber que yo he hablado con ella.

Federico fue fusilado a la mañana siguiente. Y su viuda siguió el consejo de Felipe. Abandonó el país uniéndose a los vencidos en su huida, sin entender muy bien por qué debía marcharse, aumentando la larga fila de hombres y mujeres que se protegían del frío envueltos en mantas. Una extensa caminata, inexplicable, urgente e imprevista, la aguardaba. Atravesó a pie la frontera con Francia, ignorando las causas que habían llevado a su marido al paredón, confusa, desorientada y perpleja, con la más pequeña de sus hijas de una mano y cargando en la otra un bolso de viaje donde la premura le hizo guardar apenas algo de ropa, sus joyas y unas cuantas fotografías. Caminó detrás de su sirvienta, que llevaba a sus otras dos hijas de las manos y un fardo en la cabeza como único equipaje, una manta anudada en sus extremos, con sus escasas pertenencias y dos panes y un queso en su interior. Doña Ida acompañó la marcha de los hombres y mujeres que caminaban junto a ella en un silencio tristísimo. La derrota arrastraba carros rebosantes de enseres, los que los fugitivos habían podido cargar, donde aupaban a los niños coronando con ellos baluartes de colchones. Algunos padres conducían a sus hijos de la mano, y otros llevaban a hombros a los que no podían caminar.

Dese usted cuenta, señor comisario, dese usted cuenta que aquí todo llega a saberse por mucho que uno se empeñe en esconderlo.

Yo no le ando con acertijos. Ni a usted ni a nadie. Pero todo el mundo sabe más cuando se acuesta que cuando se levanta. Y ayer me enteré yo, como se enteró todo el pueblo, de que la familia vino entera para despedirse de las tierras, y de él.

Sí, señor. El duque ciego les compró el cortijo justo antes de que los mataran a todos. Ayer mismo me lo dijo a mí la Juana, después de irse usted.

Ya le dije que la hija va a casarse. Para ella ha comprado las tierras, que ese padre puede darle una dote la mar de redonda a la niña.

Hile usted los cuatro cabos, señor comisario. Si han vendido las tierras, ya no necesitan que el abogado don Carlos les lleve los asuntos en el pueblo. Y me extraña a mí que ése se quede tan campante. Que algo retorcido se le ve en los ojos, se lo digo yo. La primera vez que vino, recién muerta la madre de doña Victoria, a nadie le dio en pensar que detrás de esa cara de ángel se escondía la maldad, la maldad mismísima. ¿Cómo no voy a desconfiar de él? De esta baza a mí no me engaña, carajo, que ya estoy avisado y sé de qué pie le viene la cojera. Que mi santa no escuchó en vano lo que ese picapleitos recién salido de la escuela le dijo a don Leandro.

Ella, mi Catalina, escuchó que nombraba a la doña Ida y, como mi santa le tenía aprecio, se acercó, arrimó la oreja y se puso a escuchar muy atenta junto por junto de una ventana donde estaban los dos, una del caserón. El abogado le estaba diciendo al señorito que era de preferir que todo estuviera arreglado cuando a la tía Ida le diera por volver. Hacía más de media docena de años que estaba en Francia, y ellos hubieran querido que allí se quedara, pero no se quedó.

A doña Carmen, la madre de la señora, ya le habían dado tierra cuando a la hermana le llegó el aviso de que había muerto. Pero ella se cogió a sus hijas y a la muchacha que se había llevado, que estaba por casarse con un gabacho y dejó al novio más plantado que un olivo, y se vino para acá. Y luego después, se largaron todas para la capital. Pero se quedaron en el cortijo unos cuantos de días, y entonces fue cuando la Nina se apercibió de cómo era ese tunante. Y que lo que había de arreglar se dio prisa en arreglarlo.

Mire usted, las tierras que se ven desde el cortijo eran de las dos hermanas, unas cuantas de miles de fanegas, todas las que los ojos le den a ver desde arriba. Todas, hasta que se le cansen los ojos de mirar.

Todas, sí, señor. Y cuando la una se murió, que le dieron unas fiebres de esas que te dejan en dos días en el penúltimo aliento; la otra se quedó con lo justo para poner una casa de huéspedes que, por bien que estuviera, no dejaba de ser un trabajo para una señora que en la vida había sabido qué era eso de tener que ganarse las perras, ni las gordas, ni las chicas.

A Francia le mandaba el señorito Leandro los dineros que ella precisaba.

Porque desde que el suegro se quedó más allá que acá, cuando la hija que iba para monja se les fue para el otro mundo, el señorito era quien manejaba las tierras y controlaba los cuartos.

Todo se sabe, señor comisario. Lo que la Catalina no escuchaba detrás de la reja lo escuchaba la Justa, cuando no la Joaquina, y se lo contaban entre ellas. Lo referido al cortijo, en el cortijo se conocía; y lo de la capital nos lo hacía saber el Lorenzo, que entre idas y venidas nos ponía al tanto de los aconteceres de la doña Ida, que más de una vez y más de doscientas se llegó a la pensión a llevarle vino de aquí, y chacina, y aceite, y toda clase de viandas que encargaba doña Victoria que le mandaran.

¿No la han de querer? Pero si no había más remedio que quererla. Aunque según mi santa, no era por eso que la sobrina la llenaba de cestos.

Era que la conciencia es la conciencia, y por fuerza ha de doler cuando se lleva atravesada. Y ese mangante le ayudó a doña Victoria a meterse el sable en la suya, cuando su madre faltó y le compró a su tía su parte correspondiente. La doña Ida se conformó, que era de buen conformar, pero las hijas le pidieron cuentas a la prima, y la armaron gorda cuando el abogado les dio con los números, que los había apañado bien y requetebién, y les explicó que su madre no había salido malamente del reparto, que el campo no valía nada y que ni siquiera le habían desquitado lo que le mandaban a Francia. Y eso no lo escuchó únicamente mi santa, lo escucharon todas desde la cocina, que hasta allí llegaban los chillos que daban.

El tiempo que pasaba hacía languidecer en Victoria la apariencia de perfección de su matrimonio. Su marido administraba las fincas desde que su padre se postró en un estado de melancolía del que no deseaba salir, a raíz de la muerte de su hermana. Leandro había adquirido ante sus suegros un respeto que crecía a medida que los ingresos que generaban sus propiedades aumentaban, y doña Carmen, reticente en un principio a dejarlas en sus manos, no tardó en comprobar que su yerno era muy capaz de hacerse cargo de ellas y de sacarles más rendimiento que nunca, superando las dificultades que ocasionaba la penuria posterior a la guerra. Victoria presumía de su marido, que poco a poco se estaba convirtiendo en el sostén de la familia, y de la pasión por la tierra que ni ella misma sentía. Gozó de su primer año de matrimonio entregada a saborear su posición, y al orgullo de haber entrado a formar parte de una familia aristocrática. Disfrutaba visitando a sus suegros, asistiendo con ellos a misa los domingos, o paseando por la calle Real cuando el hijo de los marqueses de Senara la llevaba del brazo. Y cuando doña Amalia regresó de Portugal por un breve período de tiempo, justo el necesario para acompañar a su hijo ciego en la toma de posesión de su título, Victoria acudió a la casa azul a presentar sus respetos, y aceptó la invitación de doña Amalia, que propuso que los recién casados los acompañaran en su viaje de regreso para que Victoria pudiera conocer su casa de la playa.

—Allí estamos muy solos los dos. Podríais pasar con nosotros todo el verano.

—Me encantaría, tía Amalia.

—Pues no se hable más.

Fue la primera vez que la llamó tía. Viajó a Portugal con ella, y se sintió dichosa. Y más dichosa aún cuando el nuevo duque contrajo matrimonio y regresó a la casa azul, porque ella comenzó a frecuentarla, o cuando su suegra aceptaba celebrar en «Los Negrales» la puesta de largo de alguna de sus hijas, y Victoria se consideraba anfitriona de las fiestas de la marquesa. Se convirtió en una perfecta anfitriona también de las cacerías, que volvieron a ser un punto de encuentro para las personalidades de la comarca y de fuera de ella, y para los altos cargos militares que aportaba su cuñado Felipe como invitados. Su vida transcurría dedicada a la gozosa tarea de representar con dignidad su papel de señora de la casa. Pero algo había en su marido que la inquietaba. Leandro parecía no tener prisa por formar una familia, la suya, y su falta de interés la apreciaba en su escasa preocupación ante un embarazo que no llegaba. Pasados los primeros años, la inquietud se convirtió en angustia; y cuando Catalina se casó y dio a luz una niña, Victoria comenzó a sentirse avergonzada ante Leandro. Y sospechó que él también sentía idéntica vergüenza, aunque la escondiera como un vendaje oculta una herida purulenta. Y lo supo un día que su cuñado fue a «Los Negrales» para acompañar a Leandro al molino después de comer. En la sobremesa, Felipe bromeó acerca de la descendencia al enterarse de que la hija de la antigua lavandera de su madre había tenido una niña.

—¿Catalina, la hija de la que violaron?

—Sí, pero no lo digas tan alto, que ella no sabe que a su madre la violaron antes de matarla.

—Pero si lo sabe todo el mundo.

—Pues ella no, y no hay ninguna necesidad de que lo sepa.

—¿Y ésa es la que ha tenido una niña? Pero si hace nada llevaba dos trenzas.

—Pues ahora sólo lleva una.

—Que no se diga, Leandro, ya ves que no es tan difícil, cuando hasta los criados saben hacerlo, que si me muero antes que tú y heredas el título, no tienes a quién dejárselo.

Felipe reía de su propia gracia sin advertir que Leandro había enfurecido y apretaba la servilleta contra la mesa intentando fingir que también reía.

—No seas grosero, Felipe, estamos con una dama.

Victoria enrojeció. Por cortesía a su invitado, esbozó una sonrisa. Y se levantó para decir que se encontraba fatigada.

—Si me perdonáis, voy a echarme una siesta. Isidora os servirá el café en la salita verde.

Los hombres se pusieron en pie para despedirla. Su marido se acercó a ella y ella se acercó a la puerta sin atreverse a mirarlo.

Sentados ya en la salita verde, Leandro le recriminó a Felipe su indiscreción y aceptó sus excusas mostrando una indiferencia por el tema que no llegó a convencer a ninguno de los dos. Desvió la conversación ofreciéndole un cigarro habano y cuando se disponía a encendérselo, Isidora pidió permiso para entrar. Él mismo le abrió la puerta, la miró depositar la bandeja sobre la mesa de centro y, al ver que se disponía a retirarse, le pidió que les sirviera el café. Los movimientos pausados de la criada parecían fascinar a ambos hermanos, que la miraban sin decir nada mientras ella llenaba las tazas, inclinada sobre la mesa. Y siguieron mirándola cuando les ofreció una a cada uno, y mientras caminaba para salir después de preguntar si a los señoritos se les ofrecía algo más. Los dos hombres la siguieron con la mirada hasta que Isidora cerró la puerta tras de sí. Sus ojos cazadores parecían lamentar un trofeo que se escapa. Pasaron unos minutos en silencio. Felipe se dirigió a Leandro, una vez que los pasos de la sirvienta dejaron de oírse.

—Vaya hembra.

—Pura sangre.

—Lástima de no haberla cabalgado cuando tuvimos oportunidad.

Isidora entró en la cocina llevando sus miradas en la espalda, cargando el peso de un fardo que no deseaba cargar.

—Chacha, qué susto nos has metido.

Justa se apresuraba a coser el borde de una esquina de un saco de trigo, y Catalina hacía lo propio con otro. De cada uno de ellos habían extraído unos cuantos granos que ya habían escondido en la alacena cuidadosamente envueltos en papel de estraza.

—¿Ya habéis hecho los cucuruchos?

—Hechos están.

—Hay tiempo, acaban de encenderse un puro. ¿Cuántos faltan?

—Los últimos eran éstos.

Una vez restaurada la arpillera que habían abierto, las mujeres depositaron los costales de trigo en el patio trasero junto a otros que se encontraban apilados contra la pared, en los que poco antes habían realizado la misma operación. Al cabo de una hora, dos jornaleros que habían llenado un carro con ellos se dirigían hacia el molino cantando al compás de las esquilas de las mulas que tiraban de la carga, escoltados por los hijos del marqués de Senara. Felipe cabalgaba delante vestido de militar y Leandro cerraba la comitiva llevando las riendas de su caballo en una mano y metiendo los dedos de la otra en un bolsillo de la chaquetilla de su traje corto, donde guardaba la autorización que le permitía moler el trigo. Felipe entregaría a la pareja de la Guardia Civil, apostada a las puertas del molino, el certificado extendido por las autoridades donde constaba que las cosechas no habían sido requisadas. Los hermanos marchaban al trote, mirándose en silencio de reojo. Competían entre sí de su destreza en el galope corto, ajenos al reparto que tenía lugar en la cocina de «Los Negrales», donde uno a uno, y discretamente, los peones del cortijo se acercaban a recoger un pequeño envoltorio de papel de estraza que se llevarían a sus casas. Sus mujeres tostarían en una sartén los escasos granos recibidos para hacer un simulacro de café, o los molerían en un molinillo fabricado por ellas mismas sujeto entre las piernas, dándole vueltas con un palo, con la paciencia sostenida por el deseo de conseguir un poco de harina para amasar un pan.

Es usted un hombre cabal, y eso se le nota al pronto. Por eso me extraña que haya dejado de buscar al hijo de la Isidora, que es quien podría hablarle de lo que pasó allí arriba; y que se empeñe en tener a mi nieto encerrado, que es quien no le va a hablar a usted, ni de eso ni de nada, señor comisario.

¿Conque sí, eh? ¿Conque lo siguen buscando?

¿Y es tan grande la capital como para no dar con él?

Lástima. Porque él podría contarle mejor que ninguno lo que pasó aquella noche. Que me caiga muerto ahora mismo si no sabe él quién disparó la escopeta que reventó a los cuatro que han tomado tierra.

Es de suponer que, si estaba en el pasillo, el primer tiro lo tuvo que oír, por fuerza y sin más remedio. Y uno no se queda tan campante si escucha un tiro de cerca. Yo le digo a usted que el segundo lo escuchó casi junto por junto del que tenía la escopeta, y que el tercero y el cuarto los vio.

Que los tuvo que ver, leche, que el hijo de la Isidora no es de los que corren para atrás, que ése corrió para alante y se dio de bruces con el que tenía la escopeta en la mano. Y la sangre.

A mí me dijo que se manchó al quitarle el arma a don Carlos. Puede usted creerme y también puede no creerme, que es usted muy libre para usar su libertad.

No, no me dijo que le viera disparar. Y eso no se lo he dicho yo a usted. A mí sólo me dijo que estaba con la señorita Aurora, y que le arrancó al abogado la escopeta de las manos, y eso mismo le he dicho yo. Ni una palabra más, ni una menos. Que las palabras de más enredan las que se han dicho justas, y las de menos confunden lo que se ha dicho con lo que falta por decir.

Hará usted bien en enterarse, que a lo mejor pone en claro por qué estaba la escopeta en el chamizo de arriba, cuando en invierno mi nieto sólo usa el de abajo, y por qué estaba su *Pardo* en el cortijo y quién lo llevó hasta allí, que ese perro no ha conocido en la vida la lejanía de su amo.

¿Se le ofrece a usted otro poquito de vino?

Qué contrariedad, yo no bebo café, que estoy de la tensión, y por no beber no tengo ni pizca en casa, que mi nieto no toma tampoco. Nunca le gustó. Sin embargo mi santa se bebía hasta las zurrapas. ¿Allí le darán café a mi nieto por la mañana? ¿Me haría usted la bondad de decirles que no le gusta, que no se les ocurra obligarle a bebérselo?

Usted me perdonará, pero yo no sé las costumbres que tienen los que se ganan el pan cerrando puertas de hierro detrás de la gente. Y mi Paco es muy suyo, como lo era su madre, que nacieron los dos con el orgullo equivocado y desde el día primero lo llevaron hincado en la frente. Fíjese cómo sería la Inma, que durmió tres noches en esa silla porque mi Catalina no la dejaba menearse hasta que no se hubiera comido las lentejas. Ella, mi santa, que se quitaba el bocado de la boca para dárselo a los demás, le había puesto la mejor presa de chorizo. A mí me ha extrañado siempre ese empeño en servirse peor que nadie, y me sacaba del quicio cuando mi Catalina mejoraba mi plato a costa del suyo.

Cosa de las madres, sí. Eso será. ¿Usted tiene madre?

La Catalina decía que lo peor de perder a una madre es perder sus brazos. Que los brazos de las madres se han hecho para acunar a los chicos y abrazar a los grandes. Y que por eso mi nieto es como es, porque su madre nunca lo abrazó.

Conque la Nina le endilgaba un mamporro a la hija cada vez que pasaba a su vera. Y la Inma apretaba los dientes y miraba al plato con una rabia que no sé cómo las lentejas no se echaron a correr, del susto que metía esa mirada, y eso que era bien chica la Inma. Hasta que la Nina se cansó, y porque vio que las lentejas habían cambiado de color, y en una de éstas, hizo que se tropezaba y ella misma tiró al suelo plato, chorizo y lentejas.

Pero mi nieto no va a esperar tres días. Si a mi nieto se le enfrentan, aunque sea nada más con un café, no se va a quedar arredrado en una silla.

Yo le explico a usted lo que haga falta, ¿qué es lo que no le ha quedado claro?

No se me haga usted el tontaina, señor comisario, que usted hila con madeja de ocho cabos.

Muy simple. El abogado no supo las intenciones que traía la familia hasta que no le pusieron el asunto delante mismo de su persona. Y si él se mudó de la capital a un pueblo como éste, sólo y únicamente para llevar los asuntos de los señores, y se ha quedado sin asuntos que llevar, algo le habrá escocido. ¿Me explico?

¿De verdad? ¿Ya tiene que irse?

Lo comprendo, sí, señor. Es usted un hombre ocupado. Échese antes otro cigarro.

¿Y un licor? Tengo el de bellota, que está muy rico.

Yo tampoco lo había probado hasta hace unos años.

Ya le he dicho que le comprendo. Vaya usted con Dios.

Aquí estaré si precisa de algo.

Era casi de noche cuando Felipe decidió acercarse a «Los Negrales» a visitar a su hermano. Disfrutaba de unos días de permiso y no deseaba pasarlos escuchando reír a Piedad y María, las gemelas habían llegado a la edad de la risa y eran imparables en sus carcajadas sin motivo. Ni quería soportar las lamentaciones de sus tres hermanas mayores, que no encontraban con quién casarse y culpaban a la guerra de la escasez de hombres disponibles; se pasaban una a otra las quejas y se insultaban entre sí llamándose solteronas, apelativo que las acompañaría hasta su muerte, muchos años después, tras una brutal convivencia cargada de reproches que comenzaron esa misma tarde cuando a doña Jacinta, su madre, se le ocurrió bromear diciendo que no debían ir siempre juntas, que se parecían a las gemelas cuando eran pequeñas y pretendían casarse las dos con el mismo hombre.

—Asustáis a los pretendientes, porque temen llevarse a una mujer y a dos cuñadas por el mismo precio.

Las gemelas retomaron sus risas y la madre añadió que ellas lo tenían peor aún.

—¿Dónde vais a encontrar a un santo que os aguante a las dos?

El marqués secundó la opinión de su esposa y se retiró a practicar una sonata al violín, huyendo del semblante sombrío que comenzaba a dar señales en sus tres hijas mayores. Felipe aprovechó la escapada de su padre, dejó que sus hermanas comenzaran con una discusión que no acabaría nunca y abandonó la casa después de ensillar su jaca. Le gustaba recorrer el camino hasta el cortijo cabalgando, entrar a galope por la avenida de los álamos y que todos le oyeran llegar, para poder presumir de la precisión de su parada a raya en el mismo umbral de la entrada.

Se acercaba al arco de «Los Negrales» cuando divisó a lo lejos la figura de dos mujeres que caminaban por la alameda. Apresuró la marcha, hundió las espuelas, castigó con la vara a su montura, se detuvo en una de sus precisas frenadas al llegar junto a ellas, y encontró frente a sí a Isidora y a Catalina. Quizá un poco asustadas, se apartaron a un borde del camino para alejarse del animal, que mordisqueaba su bocado soltando espumaradas de baba y subía y bajaba la cabeza rebelándose contra el ronzal que lo sujetaba.

—Felicidades, Nina, me han dicho que has tenido una hija.

—Agradecida, señorito Felipe.

—No tengáis miedo, no os va a morder.

—¿Y quién le ha dicho a usted que tengamos miedo?

Sí, tenían miedo. Y él saboreó el placer que le producía haberlas asustado.

—¿Es guapa tu hija?

—Más que yo.

—¿Y más que Isidora?

Al tiempo que Felipe hablaba, dirigió la cara de su caballo hacia el pecho de Isidora. La jaca cesó en sus movimientos de cabeza y le manchó con la espuma espesa y blanca que rezumaba entre los dientes.

—Un pura sangre reconoce a otro en cuanto lo huele.

Isidora se limpió con las faldas dejando al descubierto la transparencia de sus enaguas. Se cubrió al advertir que Felipe la miraba entornando los ojos, recorriéndola de abajo arriba sin dejar de acariciar el cuello del animal. La suavidad de sus caricias se hizo firmeza cuando Isidora se tapó las piernas. Felipe colocó la palma de la mano abierta sobre la testuz de su jaca, y la obligó a mantener su boca en uno de los hombros de Isidora.

Catalina se tocó la cicatriz de la mejilla antes de sujetar al caballo por las riendas y encarar al jinete.

—No es menester arrimarse tanto, señorito.

—Cuando tuve ocasión no me acerqué lo suficiente, ¿verdad, Isidora? Siempre hay una segunda oportunidad.

—Pues ya se ha acercado lo bastante, de forma y manera que nos deja usted seguir camino ahora mismito, que andamos apresuradas.

La diminuta mano de Catalina intentaba alejar al jinete. Felipe hizo un movimiento rápido con las bridas.

—Suelta, Nina.

Se apartó de Isidora y levantó las manos del caballo. Las mujeres aprovecharon para huir. Pero él se situó frente a ellas cortándoles el paso y se inclinó hacia Catalina.

—Una mujer no debe sujetar la montura de un hombre. Nunca, Catalina. Nunca sujetes mi montura. ¿Has entendido?

—Pues baje del púlpito ése, si quiere usted hablarme.

—Es con Isidora con quien yo quiero hablar. Y se ve que eres tú la que lleva prisa. ¿Por qué no te adelantas y nos dejas solos? Seguro que tu hija está berreando. Anda, ve a darle de mamar, que no te va a quedar ni gota cuando llegues. Mira cómo vas.

La camisa de Catalina dejaba ver un cerco empapado en el centro de sus dos pechos. Isidora se colocó delante de ella, y la ocultó de Felipe.

—Nada tenemos que hablar usted y yo, señorito.

Los ojos de Catalina asomaban furiosos por detrás de uno de los hombros de Isidora. Se había puesto de puntillas para poder ver a Felipe y se encaramaba sobre el cuerpo de su compañera intentando mantener el equilibrio.

—Dicho está. Siga usted su camino, que me da a mí que es usted el que lleva más que una mijina de prisa.

—Isidora sabe que no, que hace años que la estoy esperando. Adelántate, Nina, y espérala en su casa, que ella y yo tenemos pendientes unas palabras.

—Ni media palabra tengo que decirle yo a usted, y lo mismo debería decirme usted a mí.

—Vaya dos hembras con las que he ido a toparme.

—Dos hembras que tienen marido.

Felipe se echó a reír, saltó del caballo y acercó sus ojos a los de Isidora.

—Ya sé que te dieron un marido, pero antes te dieron otra cosa, que entonces no quise darte yo, y ahora sí te la quiero dar. Dile a Nina que se vaya.

Isidora sintió que sus piernas temblaban, intentó moverlas pero no la obedecieron. Quiso controlar la parálisis que se adueñó de ella y alargó los brazos hacia atrás. Así la sujetaban ellos, desde atrás. Así le impedían moverse. Así la besaron, y la acariciaron, y le separaron uno a uno las piernas mientras otro la sujetaba desde atrás. Felipe advirtió cómo la sirvienta se abandonaba aferrándose a Catalina sin oponer apenas resistencia, sin retirarse de su mano, que ya le había desabrochado la blusa y buscaba su carne estremecida. Consiguió acariciar su pecho, apretarlo, y llegar a uno de sus pezones, mientras acercaba sus labios al escote que se le ofrecía recién abierto.

—¿Te gusta, eh? Dile a Nina que se vaya. Te voy a dar lo que no te dieron esos brutos. Ven aquí. Ven.

No supo nunca que Catalina cogió una piedra. Ni pudo saber cuál de las mujeres le golpeó en la nuca cuando acababa de quitarse el sombrero y hundió su boca en el pecho de Isidora. No podría recordar cómo lo subieron al caballo, ni en qué estado lo condujeron hacia el cortijo. Pero recordaría los susurros de Isidora y el apremio en la voz de Catalina al colocarle las botas en los estribos.

—¿Lo habremos matado, Nina?

—Con vida lo hemos subido al caballo, y con vida ha de llegar al cortijo.

—¿Y si se cae?

—Ya se levantará. Y si no, que no se levante, que si no lo hemos matado nosotras, lo ha de matar el Modesto cuando se entere.

—El Modesto no ha de enterarse. Ni yo se lo voy a contar ni tú tampoco, Nina.

—Pues mi Antonio lo acaba.

—Tampoco el Antonio va a enterarse. Júramelo.

—Si no he de poder contarlo, reviento.

—Es de preferir que revientes tú sola, y que no te revienten los otros.

—¿Qué otros?

—Los que cierran la boca, y te la hacen cerrar.

—Pero el señorito no se va a quedar callado cuando despierte.

—Callará. Él sabe mejor que nadie que hay cosas que no conviene contar. Y tú lo tienes que aprender. Júramelo por tu hija ahora mismo.

No supo nunca qué manos le sujetaban la cabeza contra la crin del caballo, y quién le puso la brida entre los dedos. Pero sabe que una de las mujeres golpeó la grupa del animal y gritó.

—Arre, bonito.

Y que él abrió los ojos un momento, y que las mujeres habían desaparecido cuando se divisaba ya el cortijo y resbaló de la silla. Y supo lo que le contaron cuando despertó: que fueron Justa y Joaquina las que lo vieron llegar desde la alameda a lomos del caballo desbocado. Y que su hermano lo descabalgó ante la presencia aterrada de Victoria. Ambos habían acudido a los gritos de Justa y de Joaquina, que pidieron auxilio al verlo caer, al ver cómo el caballo lo llevaba arrastrando de un estribo. Felipe no quiso admitir la humillación que sentía. Dijo que había sufrido un desmayo, y que no recordaba nada más. La caída le ocasionó una lesión que le mantuvo postrado en cama durante más de un año, y una ostensible cojera que se agudizaba, sin que él pudiera controlarlo, cuando caminaba por «Los Negrales». A partir de entonces, sólo visitaba el cortijo cuando se veía obligado a ir, cuando no conseguía ninguna excusa razonable para evitar el compromiso. Temía encontrarse con las mujeres que lo habían vencido. Temía no poder ocultar la ira que le provocaba la sola presencia de Isidora. Temía enfrentarse a los ojos de Catalina, que Felipe adivinaba rebosantes de una rabia imposible de retener.

Mire usted, yo he aprendido lo mío en toda una vida que se me hace ya larga. Y sólo cuento los días que me faltan para que no me sirva de nada lo que sé, ni lo que no sé. ¿Para qué quiero aprender ahora a tener confianza?

Desconfío, sí. Porque eso es lo que me enseñó a mí mi madre, y a ella su gente. Lo que debería haber aprendido mi hija, y no aprendió, que entregó su confianza y se la devolvieron negándola. ¿Quién me dice que mi nieto no vaya a tener el mismo pago que su madre?

¿Y dice usted que le han puesto a ese abogado sin que él lo haya pedido?

Me extraña a mí que lo acepte, que él no tiene costumbre de semejantes usanzas.

Las usanzas de dar como propio lo que no se ha requerido siquiera.

¿Y cuánto he de abonarle? ¿Alguien le ha dicho que no tenemos una perra chica?

Rediós, no me venga con ésas, que no es buena hora para que se guasee de mí.

¿Cómo va a trabajar nadie sin un beneficio, leche?

Por mucho que usted me diga, señor comisario, no me va a hacer creer que se tomará la molestia de defender a un penado que ni le va ni le deja de venir, que eso no es corriente.

¿De buena fe? ¿Y es que puede ser fe si no es buena? Quien juntó esas dos palabras sabía que ni a la fe se puede agarrar uno, y que cuando se quiebra ya no se recompone.

Yo diré ante quien haga falta lo que sea menester.

¿Y usted puede entrar conmigo?

No sé. Me da a mí que no voy a saber referírselo con un orden.

Es que yo no soy bien hablado. Y he de mal colocar las ideas, de fijo.

Ya le dije el otro día que la primera persona de su condición que ha cruzado palabras conmigo ha sido usted, señor comisario.

Ya. Respiro, sí. Pero no es lo mismo. Con usted es de muy distinta manera. Hay amistad.

Y dígame, ¿podré ver a mi nieto después de hablar con el abogado?

¿Y me da su permiso para contarle a mi Paco lo que usted me ha referido?

Que don Carlos tiene una dentellada en la mano. Y que usted se la ha visto. Y que ese picapleitos alargó el dedo hacia el primer chucho que vio cuando usted le preguntó por qué estaba maltrecho, y era un perro muy chico para una mordida muy grande.

Aunque usted no pueda dar de fijo que no fue el *Pardo* el que le mordió, me da a mí que mi nieto va a descansar sabiendo que su perro no se fue por cuenta propia de su vera. Y le voy a decir que, el mismo que se lo llevó, bien pudo colocar la escopeta en el chamizo de arriba. Y que usted sigue buscando al hijo de la Isidora, para que le diga lo que a mí me dijo esa noche, que fue a don Carlos a quien se la quitó de las manos.

Yo le puedo decir que le hable a ese abogado que le han puesto, sí, señor, pero ya le expliqué cómo es parco. Mi Catalina decía que era más cortado que un jamón, y si hoy también le da por callarse, no hay cuchillo que le arranque tajada.

¿Ya tengo que entrar?

¿Y de fijo que no puede usted venir conmigo?

No, si yo estoy muy tranquilo. Pero es que me da a mí que no me van a salir las palabras.

Desde que sufrió la caída del caballo, el humor de Felipe iba empeorando por momentos. Su carácter agrio, sus bromas ácidas y su mirada huidiza incomodaban a Victoria. Ella le visitaba en casa de sus suegros, y durante su larga convalecencia pasó tardes enteras en la salita de estar evitando su mirada, clavando la aguja en el lino tensado de su bastidor, arriba y abajo, abajo y arriba, una y otra vez, y otra, y otra. Sus tres cuñadas mayores bordaban junto a ella. Y doña Jacinta atendía a su hijo, recostado en un diván, e intentaba poner orden en las numerosas discusiones que surgían entre las hermanas sin motivo aparente. Sólo las gemelas rompían la rutina de aquellas visitas cuando salían del internado en vacaciones. Pero a ellas no les gustaba permanecer en casa toda la tarde, siempre tenían alguna fiesta a la que asistir o una excursión que les aguardaba. Tomaban café, relataban los últimos suplicios que habían hecho padecer a las monjas y se marchaban. Victoria envidiaba la alegría de las dos jóvenes, sus risas, y el cariño que sentían una por la otra. Ella no había olvidado su relación con Aurora, sus deseos compartidos, las noches de charla interminable, los vestidos estrenados en los domingos de Ramos, las procesiones con las palmas rizadas que colgaban después de sus balcones. Las fiestas de la Aleluya en la pradera, cuando Victoria llevaba a su hermana pequeña de una mano y tiraba con la otra de un borreguito adornado con lazos de colores los domingos de Resurrección. Las novenas que rezaron juntas, las visitas a los sagrarios, y las velas que se les apagaban durante las procesiones de Semana Santa, cuando caminaban tras los pasos, ataviadas las dos con peineta y mantilla negra. O las tardes de toros y mantillas blancas. No la había olvidado. Los paseos a caballo con su padre, o las risas cuando él enrollaba el periódico y preguntaba ¡¿A quién hay que pegarle?! Sus primeros galanteos, cuando Aurora la tildaba de presumida en cuanto un muchacho se le acercaba. Los poemas recitados a dos voces que acabaron cuando ingresó en el convento. No la había olvidado, ni la había perdonado. La culpó por aquel abandono que nunca llegó a comprender. Y la culpaba de la postración de su padre, abatido ante la carga de que su hija murió porque había querido morir, aferrado desde entonces a la petaca de plata que Aurora le había regalado para combatir el frío durante las cacerías. Y también la culpaba por ello, por haber querido morir. María y Piedad le recordaban lo que había compartido con su hermana. Victoria las había visto abandonar sus diversiones infantiles. Ya no le pedían a Justa que les guardara los huesos de cordero para jugar a las tabas. Ni bebían el agua de lluvia retenida en las barandas de la plaza Mayor al salir de la iglesia, ni buscaban los charcos después de las tormentas. Las gemelas coqueteaban ya. Victoria las había observado en la última montería, reconoció en ellas el gesto de ocultar su repugnancia ante los animales muertos, al felicitar a los jóvenes cazadores que exhibían sus trofeos y al ensalzar su puntería destacando la limpieza en el tiro. Su marido no quiso creerlo cuando ella se lo contó. Leandro dijo que eran demasiado jóvenes; pero pudo comprobar que era cierto en la siguiente cacería. Victoria la organizó en honor de su cuñado, en el momento en que ya pudo caminar. Felipe se mostró reacio a celebrar su recuperación en el mismo lugar donde se había truncado su prometedora carrera militar. Pero el cortijo continuaba siendo un punto de referencia para el Alto Estado Mayor y Felipe seguía perteneciendo al ejército, aunque hubiera pasado a la reserva a causa de su invalidez. Aceptó, y arrastró su cojera con una fingida dignidad, bromeando con sus superiores, forzando la risa para hacerlos reír, intentando evitar que sintieran lástima de él.

Después del primer día de caza, los invitados se reunieron a cenar en el comedor de los trofeos. Leandro se divertía comprobando que sus hermanas gemelas se miraban una a la otra cada vez que un joven se dirigía a ellas, y quiso compartir su descubrimiento con Felipe.

—¿Has visto a las mellis?

Pero Felipe no le prestaba atención. Se mantenía con la mirada fija hacia la puerta que daba al patio y cada vez que se abría, la retiraba, temeroso de ver entrar a Catalina o a Isidora. Pero no llegaron a entrar, fueron Justa y Joaquina las que sirvieron las mesas. Aun así, se tranquilizó tan sólo cuando llegó la hora del café y los hombres se retiraron al salón de la chimenea a fumar un cigarro. Y despertó al amanecer del día siguiente con la misma inquietud, convencido de que sería inevitable encontrar a las dos mujeres sirviendo el desayuno a los cazadores. Se dirigió al comedor decidido a mirarlas de frente, pero no tuvo que someterse a esa prueba, temida durante todo el año que duró su postración. De nuevo eran Justa y Joaquina las que servían las mesas. Su hermano Leandro desayunaba sentado junto a él.

—La pura sangre no vendrá. Si es eso lo que estás esperando.

—¿Esperando, yo? No digas estupideces.

—No disimules, te conozco, y no has dejado de mirar hacia la puerta desde que has entrado, lo mismo que ayer durante la cena. No mires más, no va a aparecer por aquí.

—Eres un imbécil, Leandro.

Cortó en seco la conversación, dejó en el plato la tostada con manteca colorada que iba a llevarse a la boca y se levantó. Su orgullo superó a su curiosidad y no preguntó por qué Isidora no aparecería, pero la interrogante le acompañó durante toda la jornada. Quizá la habían despedido. ¿También a Catalina? No tendría que esperar mucho para saber el motivo de la ausencia de las dos mujeres. Cuando su hermano y él regresaban esa tarde del campo, y se dirigían al pabellón de caza a dejar bajo los soportales las piezas cobradas, vieron correr a Justa preguntando por Modesto a todos los peones que regresaban con ellos. Victoria, apoyada en uno de los arcos, la seguía con la mirada. Con las manos cruzadas sobre su regazo se protegía del frío con un largo capote de paño inglés, pero sus labios temblaban. Leandro le preguntó qué le pasaba a Justa, y si ella se encontraba bien.

—Perfectamente, ¿por qué?

—No sé, te veo rara.

—Qué tonterías se te ocurren. Anda, date prisa, que ya tienes preparado el baño y la cena se servirá pronto.

Y como si lo contara de pasada, sin dejar de mirar a Justa, Victoria añadió que Isidora acababa de dar a luz un niño, y que por eso Justa buscaba a Modesto, para darle la buena noticia. Y comentó que el parto había sido muy corto, pero muy inoportuno, que precisamente cuando más se la necesitaba, Catalina había faltado dos días porque estaba atendiendo a Isidora.

Dijo que regresaba para morir, y es como si se hubiera muerto, ¿verdad usted? Lo mismo no era él. Lo mismo la sombra que me dijo adiós en el camino era la misma muerte, que ya lo había vestido, y era una alma perdida la que habló conmigo.

Lo digo porque si él supiera que la lenguaraz de la Juana lo vio subir al cortijo, y que fue al único al que vio subir, y que es mi nieto el que está donde está, el hijo de la Isidora daría señales de vida para que este asunto viera la luz.

Eso mismo me ha dicho el abogado que le han puesto a mi Paco. ¿Don José María dice usted que se llama?

Es simpático, sí. Pero nada más entrar le he tenido que llamar la atención.

Porque, ¿sabe lo que me ha dicho?

Siéntese ahí, abuelo. Eso me ha dicho. Abuelo. Y a mí me puede llamar señor Antonio; don Antonio; Antonio, a secas; o Antoñito, si le da la real gana. Pero abuelo sólo me lo llama mi nieto.

No me enfado, pero hay que tener un respeto, leche.

Pues le estaba diciendo que don José María me dijo lo mismo cuando escuchó lo que yo le conté. Pero el hijo de la Isidora no ha sido, señor comisario, delo por cierto y no busque por ahí.

Estoy más que seguro, que un hombre que mata a unos cuantos no busca la casa de otro para lavarse la sangre. Él venía a morirse, no a buscar la muerte de nadie. Por eso digo yo que fue la muerte propia la que se llevó de aquí. De este modo y de estas maneras se lo he dicho yo a don José María cuando me ha preguntado sobre el particular.

Le he contado todo, sí, señor. Y él me ha dicho que se lo cuente a mi nieto. Y que a usted puedo hablarle de cuanto quiera, que es de fiar. Y mire que yo no se lo he preguntado, eh. No vaya a dar en creer que ando pidiendo referencias.

¿Y sabe qué me ha dicho también?

Que es verdad que no hay que abonarle ningún dinero, que él defiende a mi Paco por su oficio. Verídico.

Ya. Ya sé que usted me lo había dicho antes, pero me da a mí que algún día puede venir a reclamarnos los cuartos. ¿Es, o no es?

¿No?

Recontra, ahora que voy camino del otro mundo empieza a cambiar éste. Primero me dicen que soy pensionista, y que me pagan sólo por ser viejo, y luego le abonan las cuentas a un abogado para mi nieto. Si mi madre lo viera, lamentaría haberse muerto a destiempo, porque ella siempre dijo que las cosas de los paisanos del campo mudan siempre a peor. Y que en este país nadie hizo nada por nosotros, ni tan siquiera la República, que nació con las manos atadas y no le dejaron ni dos dedos para tirar de la reforma agraria.

¿Falta mucho para que pueda ver a mi nieto?

Prisa no tengo ninguna, pero ansia sí.

Ansia de verlo.

En el momento en que Isidora pudo ponerse en pie y caminar, envolvió a su hijo recién nacido en una manta y se fue con él al cortijo. Le hizo una cuna en uno de los cestos que empleaban para llevar la colada a tender y lo colocó junto al fogón de la cocina. Justa le acercó un dedo meñique a la boca. Y Joaquina lo miraba extasiada.

—Isidora, me da a mí que esta criatura tiene hambre.

—¿Qué ha de tener, si antes de venir me ha quedado las tetas como dos pellejos?

—Cucha, que se ha agarrado con desesperación a su dedo chico.

—Le gusta chupar, pero hambre no tiene.

—¿Me dejas que lo aúpe?

—Déjalo estar, que no son buenas esas costumbres y luego va a querer los brazos únicamente.

Mientras Isidora preparaba el desayuno de Victoria, Catalina caminaba en el corredor haciendo sonar sus pasos, simulando que regresaba a la cocina. Los silenció después para volver sobre ellos y quedarse a la escucha tras la puerta del gabinete, donde le había servido un café a Leandro y a un joven que había llegado a «Los Negrales» poco antes que ella. A juzgar por la expresión que le vio en la cara, traía una mala noticia. Catalina contuvo la respiración y acercó el oído. Sí, era una mala noticia. Leandro permaneció callado hasta que el joven acabó de hablar. Y Catalina vio a Isidora con la bandeja del desayuno en las manos, que caminaba hacia ella apremiándola con un gesto enérgico para que se retirara de la cerradura. Se alejó sin hacer ruido y se aproximó a Isidora. Cuando iba a murmurarle algo, la puerta del gabinete se abrió y Catalina huyó sobre las puntas de sus pies para contarle a Justa y a Joaquina lo que no le había dado tiempo de contarle a Isidora.

La zozobra asomaba a los ojos de Leandro cuando le pidió la bandeja a la sirvienta, después de indicarle al joven que esperara en el gabinete. Isidora se extrañó de que el señorito quisiera llevarle el desayuno a su esposa. Le observó subir la escalera despacio, regresó a la cocina, y encontró a sus compañeras sentadas frente a frente, las tres con un codo apoyado en la mesa y sujetándose la barbilla.

—Fo, y tiene una cara bien guapa ese muchacho, para un mandado bien feo.

—¿Y desde la capital se ha llegado hasta aquí para dar el recado en persona?

—¿Qué pasa?

—La madre de la señora se ha muerto.

—¿Qué dices, chacha?

—Que se ha muerto doña Carmen, Isidora, que le ha dado el tifus.

Las sirvientas esperaron en la cocina sin saber qué hacer, hasta que Leandro las llamó desde el corredor y les dio la noticia. Ellas la recibieron como si no la conocieran, expresaron sus condolencias, pidieron permiso para subir al dormitorio del matrimonio a dar el pésame a su señora, y reanudaron sus tareas después de que ella les indicó que siguieran con lo que estuvieran haciendo. Isidora fue la última en salir de la habitación. Y observó que Victoria dejó de reprimir el llanto cuando creyó que nadie la miraba.

Esa misma tarde, llegó a «Los Negrales» don Ángel Albuera acompañando al cuerpo sin vida de su esposa. Al día siguiente, el cadáver fue trasladado al convento. Pero esta vez fueron otros los que cargaron a hombros un ataúd, desde la capilla ardiente al coche fúnebre, y después hasta el cementerio. El viudo caminó arrastrando los pies, cubierto con su capa española, apoyando su debilidad en los brazos de los hijos del marqués de Senara. Después del sepelio, se marchó de nuevo a la capital, de la que regresaría sin vida, apenas cinco años más tarde, víctima de una cirrosis hepática.

Victoria se había despedido de su padre rogándole que no se marchase, y Leandro le había insistido en que se quedara en el cortijo con ellos, pero él se negó. Subió al automóvil, se inclinó hacia el chófer, y repitió la orden que la costumbre le había llevado a decir:

—Lorenzo, conduce lo más rápido que puedas.

Se arrellanó en su asiento sin mirar atrás y sacó la petaca de plata. Bebió como si quisiera tragarse toda la vida que le quedaba. Su hija no le vio beber. Victoria se retiró hacia el interior de la casa antes de que el coche alcanzara la alameda, y subió a su habitación, donde encontró a Isidora preparando su cama. La sirvienta introducía un calentador de cobre entre las sábanas, manipulaba el mango con lentitud, atenta a mantenerlo el tiempo suficiente para calentarlas sin llegar a quemarlas. Victoria deseó arroparse con su tibieza. Sintió la necesidad de buscar un calor que no fuera el de su propio cuerpo. Observó que Isidora tiraba del mango del calentador y, sin pensarlo, le preguntó por su hijo.

—Abajo lo tengo. Hasta que esté con la teta me lo he de traer, si a usted no le es molestia, señora.

—¿Cómo es?

—Hermoso y fuerte. Bien sanito.

—Tráemelo, que yo lo vea.

Todos los deudos habían abandonado ya «Los Negrales». Isidora se encontraba al pie de la escalera con su hijo en brazos, con la cabeza inclinada hacia él, y no vio a Leandro.

—Una hembra con su cría, qué ternura. A ver, enséñame a tu hijo.

No esperó a que la sirvienta se lo mostrara, apartó la manta que cubría al bebé y acarició con su índice la nariz del niño, para levantar después con el mismo dedo la barbilla de la madre.

—Tan guapo como tú, pura sangre.

Leandro apartó su dedo del rostro de Isidora. Ella sacudió la cabeza, limpió con la manta la nariz de su hijo y comenzó a subir los escalones, sintiendo los ojos del señorito en sus piernas hasta que llegó al rellano de la escalera. Entonces se volvió hacia él. Él dejó de mirarla, y siguió su camino.

En el pabellón de caza, esperaba a Leandro el joven que había traído la noticia de la muerte de su suegra para ultimar los detalles del testamento de doña Carmen, que lo había nombrado albacea. El abogado le anunció que, una vez finalizados los trámites que debía gestionar, en breve acudiría al cortijo un tasador de su confianza para valorar las propiedades.

—Después veremos cuánto hay que darle a su tía Ida. Y lo pondremos todo a nombre de Victoria.

—¿Y su tía no puede negarse a vender?

—Para eso tendría que comprar, y no se encuentra en condiciones de hacerlo. No te preocupes, está todo controlado.

La tasación fue rápida, y ventajosa para Victoria. Una semana después de la muerte de doña Carmen, su hermana Ida llegó a «Los Negrales», el abogado le planteó la situación y ella aceptó venderle a su sobrina la parte que le correspondía de la herencia de sus padres. Había regresado de Elne, la pequeña localidad francesa donde había pasado los últimos años, a tiempo de asistir a los funerales que se celebraron por su hermana en la parroquia del pueblo, pero no alcanzó a verla, como hubiera deseado. Visitó su tumba en el convento. Cerró la operación de compraventa, y le dijo a Catalina que quería conocer a su hija.

—¿Cómo se llama?

—María Inmaculada de la Purísima Concepción.

—Como la Virgen.

—Como la mismísima Virgen, señora.

Acompañó a Catalina a su casa caminando, tras invitar inútilmente a la sirvienta a subir a su automóvil. Regresó cargada de cántaros y botijos y se marchó esa misma tarde. Al abandonar «Los Negrales», en el mismo instante en que dejaron atrás la alameda, sus hijas le pusieron al corriente de la discusión que habían mantenido con Victoria y con su abogado. Indignadas por el precio que habían puesto a sus tierras, se interrumpían unas a otras lanzando improperios contra su prima. La madre intentaba calmarlas, pero ellas no permitían la calma. Doña Ida nunca quiso conocer los detalles de aquella discusión, pero las jóvenes aprovechaban cualquier circunstancia para reprochar el comportamiento de Victoria de forma recurrente. Y cuando doña Ida decidió abrir una pensión en la capital y se enfrentó a los primeros contratiempos, o incluso cuando los problemas se solucionaban, su nombre aparecía siempre cargado de un violento rencor.

—Nos irá bien, no os preocupéis.

—Mejor le irá a Victoria, mamá.

Ninguna de las tres regresaría jamás a «Los Negrales». Doña Ida les recriminaba su actitud, e intentaba hacerles comprender que gracias a aquella venta pudo poner el negocio que les permitía vivir.

—Victoria es la que ha hecho un magnífico negocio, mamá.

E insistían en que rechazara las cestas que enviaba. Pero la madre les ordenaba callar, alegando que no consentía que hablaran mal de su familia y que los productos que le llegaban suponían una importante ayuda para su economía. Ninguna de las tres volvería a ver a su prima. Y cuando Victoria decidió instalarse en la capital, ninguna respondería a sus llamadas. Desaparecían al tiempo que anunciaba su visita, y regresaban después de que ella se hubiera marchado. Se negaron a conocer a sus hijos, ignoraban las invitaciones a sus fiestas, y al llegarles el momento de casarse, ninguna la invitó a su boda. Doña Ida fue la única que mantuvo una discreta relación con su sobrina, y fue la única que regresó a «Los Negrales» en dos ocasiones: para asistir a la fiesta de la hija mayor de Victoria, cuando la niña cumplió los quince años y la invitó personalmente, y para acompañar a su sobrina en su dolor por la pérdida de su hijo Agustín. Ni siquiera entonces pudo convencer a sus hijas de que la acompañaran. Doña Ida acudió del brazo de Aurora al cementerio del convento, y tras el entierro de Agustín, depositó unas flores en la sepultura de su hermana Carmen, sabiendo que era la última vez que la visitaba. Se sentía cansada. Sabía que los años la habían llevado a la vejez, aunque ella no se hubiera dado cuenta hasta ese momento. Le pidió a Aurora que la ayudara a inclinarse hacia la lápida y se despidió de su hermana en voz baja.

—Te veré pronto, Carmen, pero no aquí. Aquí hace tiempo que no hay sitio para mí.

Poco después, murió rodeada de sus hijas y de sus nietos en el pequeño apartamento que había habilitado en la pensión que seguía regentando con la ayuda de Elo, la sirvienta que la siguió hasta Francia, la mujer que en tiempos de penuria la ayudó a vender perrunillas por las calles de Elne, horneadas por ellas mismas en la pequeña cocina del apartamento que alquiló hasta que pudo permitirse una casa más apropiada, cuando comenzó a llegar la renta que le enviaba Leandro. Elo tenía su mano apretada entre las suyas durante su agonía.

—Elo, hijita, haz un último esfuerzo por mí.

—Lo que usted mande, señora.

—Dile a las niñas que recen por su prima Victoria.

Las hijas no olvidaron incluirla en sus plegarias, pero ninguna de las tres quiso avisarla de que su madre había fallecido.

Doña Ida dejó escrito en sus últimas voluntades que deseaba ser enterrada en la capital. Y sus hijas interpretaron el gesto como un triunfo que su madre les brindaba. Ella fue la primera Paredes Soler que negó el privilegio de ocupar el panteón familiar. El hueco que tenía reservado en el cementerio del convento permanecería vacío. Su madre había protestado, finalmente, y en el silencio de aquella lejana tumba había hecho oír su protesta.

Nunca había tenido tanto frío. Ni tan siquiera cuando las noches se cierran y él no tiene dónde encerrarse. Eso me ha dicho. Que el frío que le ha entrado ahí abajo no hay manta que lo tape. Y que está solo. Solo me ha dicho que está. Y que únicamente hablando conmigo se le pasa un dolor mal puesto que tiene. Que se le han abierto las honduras y es por ahí por donde se le cuela el frío. Y le duele. ¿Sabe por qué, señor comisario? Porque es buena gente. Y a la gente que es buena no le pasa de largo estar donde mi nieto. Me ha dicho que no puede dormir, y me ha preguntado cuántos techos habrá por encima de su celda, que capaz que por eso no puede, que él únicamente ha dormido al raso, o con un solo techo tapándole el cielo. Nunca le he oído hablar tanto. Nunca me había dicho antes que de chico lloraba a escondidas, que se pasaba las noches debajo del catre mirándose la mano, lo mismo que ha hecho ahí adentro. Los zagales querían tocársela, y él huía de ellos porque no daba en encontrar las palabras para explicarles por qué no se dejaba tocar. Nunca me había dicho que empezó a callarse cuando supo que no las encontraría, que él tampoco sabía por qué no le gustaba que nadie se la tocara. Nunca me había relatado que más de una vez y más de doscientas mi Catalina le hubo de aclarar que su madre había muerto y que no vendría a por él, y que no era una loba, y que su mano no era la mano de un lobo como le decían los niños del pueblo. Y que su padre tampoco era un lobo, aunque nadie supiera si llevaba un animal en las entrañas. Tal que así me lo ha referido, que los niños le metían espanto diciéndole que una loba vendría a buscarlo.

Cosas de chiquillos, sí. Pero yo nunca supe, y hoy lo he sabido, que a mi Paco le asustaba la Mano Negra más que a los otros, y que no se la debería de haber mentado cuando chico. ¿Quién iba a figurarse que un cuento chino con el que asustan los padres a los hijos lo iba a dar por cierto mi nieto a pies juntos? Y hoy he sabido que ahí no estuve acertado. No, señor. No estuve acertado en decirle que la Mano Negra se lo iba a comer, y que vivía allí arriba. Más me hubiera valido asustarlo con La Peleca, como todos hacían, o con La Peregrina, una pobre mujer que andaba siempre por los destrozos del palacio. El mismo partido habría sacado cuando me rompía un cacharro recién cocido, que roto estaba y nadie lo iba a componer. ¿Quién iba a figurarse que el niño creía que las lobas tenían negras las manos? ¿Cómo iba yo a saber que estaba asustando a mi nieto con mi propia hija, con su propia madre? Y también he sabido que mi santa se lo llevaba al cortijo cuando los señoritos no estaban para que el niño viera que allí no vivía, y que le hizo jurar a mi Catalina que en la vida se lo contaría a su abuelo. Y no me lo contó. Ninguno de los dos me dijo nunca que mi Paco no podía dar por cierto que yo le mintiera. Y ella, que reventaba por dentro si no soltaba lo que sabía, se fue a la tumba sin decirme que mi nieto no era un cobarde, que de la mano de su abuela se iba para allá arriba, con el susto calado en el alma, a buscar las patrañas que yo le decía, y que no las encontró nunca.

¿Sabe, señor comisario? Cuando mi Catalina lo dejaba con los juguetes de los señoritos, él se iba a buscar las escopetas de verdad.

Sí, señor. Se iba al caserón y cogía las escopetas por si aparecía la Mano Negra y no era su madre. Y dice que un día disparó. Que apoyó el arma en la mano mala y metió dos dedos de la buena en el guardamonte y apretó el gatillo. Pero no salió ningún tiro porque él no sabía que era menester cargarlas. La víspera que murió mi madre fue eso. Mi santa se lo subió para arriba por quitarlo de en medio. Y cuando mi nieto volvió, ya había muerto una madre de las dos que tenía. Y se hizo mayor barruntando que la madre que no llegó a conocer seguía viva, y que vivía allí arriba.

Verídico. Sí, señor. Como se lo estoy contando. De forma y manera que no es de extrañar que mi Paco haya crecido metido para adentro. ¿Es, o no es?

Es.

No, hombre de Dios. ¿Cómo va a seguir creyéndolo? El día que le dimos tumba a mi madre, yo le enseñé la de la suya. En el nicho de la Inma hay un retrato. Ya estaba muerta cuando se lo hicieron, pero como no teníamos ninguno y parecía dormida, mi santa le dio una poca de color en los labios para que le tiraran una foto y pudiésemos tener un recuerdo de ella. Tenía que haber visto usted a mi nieto cuando le dije que su madre estaba enterrada allí dentro, y que esa cara tenía. Lo aupé en brazos, para que llegase al cristal y pudiera tocarla. Angelito, plantó la manita tullida en el retrato y acarició a su madre. Después, no sé cómo, se hizo añicos el cristal y la sangre le resbaló hasta el codo. Pero no soltó ni un mal quejido. Todavía se acuerda. Para él fue mejor que para nadie decir que su madre era guapa. Y nunca más consintió que los niños del pueblo se la mentaran. Se pegó con todos. Y luego después, no se pegó con ninguno porque siempre andaba solo. Y a nadie más hubo de decirle que su madre era guapa. Y era guapa. Lo era de verdad.

Aunque las madres siempre eran guapas.

Todas, de jóvenes, eran guapas.

Ah, ¿no? ¿Usted ha escuchado a alguien decir que su madre era fea?

¿Era guapa su madre, señor comisario?

Desde el momento en que Victoria tomó al niño de Ísi-
dora en sus brazos ya no quiso desprenderse de él. Desconocía el impulso que la llevó a pedirle que lo subiera a
su habitación. En realidad, no deseaba verlo, pero cuando Isidora se lo mostró, y el niño esbozó una sonrisa, ella
se sintió menos triste. La sirvienta fue la que se lo puso
en los brazos, al ver que los ojos enrojecidos de Victoria
mostraron una emoción que se parecía al consuelo. Se
apenó de ella. Y se alegró al verla superar poco a poco el
dolor por la muerte de su madre. Isidora no tomó en serio la petición que Victoria le hizo. Ella creyó que hablaba por hablar cuando le propuso adoptar al bebé, y a pesar de los recelos de Catalina, que encontraba la actitud
de su señora excesivamente posesiva y le aconsejaba que
permitiera que otra mujer lo cuidara, lo llevó con ella al
cortijo hasta que el niño cumplió los cinco años. Y una
tarde de junio, cuando las hijas gemelas de los marqueses de Senara cumplieron su sueño de casarse las dos el
mismo día, Isidora lo arrancó de las manos de Victoria
durante el banquete nupcial, sin saber que Victoria se lo

reclamaría y que ella no podría negarse a entregárselo, vestido de domingo, antes de que hubiera pasado una semana.

La llegada de las novias a la iglesia parroquial había sido un espectáculo. Todo el pueblo se arremolinó a la puerta para verlas entrar del brazo de sus hermanos. Leandro fue el padrino de Piedad, y Felipe el de María. El marqués firmó como testigo de los esponsales, no quiso llevar al altar a ninguna de sus hijas, evitando así el riesgo de estropear la exquisitez del enlace sacando un pañuelo a cada instante, para secarse el sudor que le empapaba siempre que acudía a la parroquia. Al término de la ceremonia, los novios escucharon los vítores de los curiosos que se arremolinaban para ver a las hijas pequeñas de los marqueses de Senara salir de la iglesia, caminando bajo los sables alzados que los compañeros del regimiento de Felipe cruzaban sobre sus cabezas. Las gemelas habían escogido dos trajes de novia muy diferentes. Deseaban disfrutar juntas el día de su matrimonio, pero preferían no parecerse tanto, ser dos, pero ser únicas.

El banquete de la doble boda se celebró en «Los Negrales». Isidora observaba a las novias intentando diferenciarlas, y no miró hacia el vino que escanciaba en la copa de Felipe. Leandro, sentado frente a él, vio cómo lo derramaba.

—Isidora, ¿quieres prestar atención, que parece que estás mirando las musarañas?

—Perdone usted, señorito, estaba mirando a sus hermanas y no me he fijado.

—Pues hay que fijarse. Y haz el favor de no llamar musarañas a mis hermanas.

—¿Yo?

Las carcajadas de Leandro y de Felipe aturdieron a Isidora, y al intentar limpiar con un paño el vino derramado, tumbó la copa y la vertió entera. Victoria observaba la escena desde el otro lado de la mesa, y le indicó que se acercara.

—¿Dónde está el niño?

—En la cocina con Justa, señora.

—¿Lo has vestido con la ropa que te mandé?

—Aviado como un príncipe está con ella.

—Tráemelo.

La expresión de Isidora fue cambiando paulatinamente apenas sin que ella lo advirtiera. Atravesó el jardín llevando orgullosa a su hijo de la mano, y lo condujo hasta la mesa donde Victoria tomaba café con sus tres cuñadas solteras, que no dejaban de abanicarse golpeándose el pecho como si de una penitencia se tratara. En cuanto Victoria vio que la sirvienta se acercaba, se puso en pie, se inclinó hacia el niño y le deshizo el lazo que su madre acababa de anudarle bajo el cuello almidonado de la camisa.

—Hay que hacerlo así. ¿Lo ves?, así. Es una doble lazada. Y las cintas del gorrito deben caerle por atrás, no de este lado. Eres un desastre, Isidora.

La madre quiso rectificar la posición del sombrero, pero Victoria le apartó la mano y le ordenó que continuara atendiendo a los invitados. Se marchaba ya, algo contrariada, cuando el niño comenzó a llorar. Isidora se dio media vuelta. Victoria continuaba inclinada hacia él.

—Yo no quiero ser una niña, mama.

—No se dice mama, eso es una ordinariez, se dice mamá.

Las tres hijas de los marqueses se habían acercado para consolarle.

—¿Te dice mama?

—Sí, desde pequeño, es que pasa más tiempo conmigo que con su madre.

Al oírlas, la cólera de Isidora la llevó a caminar de prisa. Llegó junto a ellas, cogió al niño de la mano, le quitó el sombrero y el lazo que llevaba al cuello, lo cogió en brazos sin decir palabra, y se fue con él a la cocina. Catalina la vio desnudar a su hijo encendida de furia.

—¿Qué ha pasado?

—Que la señora se cree que es suyo.

—Si me hicieras una mijina de caso, no te pasaría lo que te pasa. Déjalo al cuidado de mi suegra, que se haga cargo como de la Inma.

Al día siguiente, Isidora fue sola al cortijo. Y sola le subió el desayuno a Victoria. Ninguna de las dos mujeres se dio los buenos días.

—Dile al niño que venga a darme un beso.

—El niño no está.

—¿Dónde está?

—Está donde tiene que estar.

Y sin dar más explicaciones, salió del dormitorio. Victoria se retiró la bandeja de las piernas. Saltó de la cama, se puso una bata sobre el camisón y sin haber desayunado corrió escaleras abajo. Era la primera vez que abandonaba su habitación recién levantada. En zapatillas, despeinada y sin vestir, caminaba hacia la cocina, pero se detuvo al ver a Catalina al final del pasillo.

—Nina, ven aquí.

Entró en la salita verde. Catalina la siguió asustada. Sabía que Isidora había provocado una tormenta.

—Usted me dirá, señora.

—¿Dónde está el niño?

—¿Qué niño?

—¿Qué niño va a ser?

—Yo qué sé.

—Lo sabes perfectamente.

—Yo no soy quién para contarle a usted de ese niño.

—Catalina, no te consiento que uses ese tono conmigo. ¿Te enteras?

—Sí, señora.

—Dime dónde está.

—Yo no lo sé.

—Está bien, ya veo que es inútil. Dile a Isidora que venga.

Tres días tardó la madre en decir que su hijo estaba al cargo de la suegra de Catalina.

—Vamos a llevarnos bien, Isidora. Vamos a llevarnos bien.

Victoria intentó convencerla de que volviera a llevarlo al cortijo, le prometió que lo trataría como a uno más de la familia, que lo educaría en los mejores colegios y, ante su negativa, la acusó de egoísmo al impedir que recibiera la educación que haría de él un hombre de provecho. Ningún argumento era válido para Isidora, que respondió que hacía tiempo que Catalina le estaba enseñando a su hijo a leer y a escribir. Victoria continuó buscando la forma de convencerla, la amenazó con despedirla, como también a Catalina. Y las dos le contestaron lo mismo:

—Haga usted lo que crea menester, señora.

Pero Victoria lo pensó mejor, despedirlas supondría reconocer su derrota. Debía encontrar la manera de someterlas. Además, no le convenía perder a dos criadas al mismo tiempo. Recordó las palabras de su madre cuando le aconsejaba cómo tratar a la servidumbre. Las criadas son enemigos pagados, decía siempre. Hay que ganarse su respeto demostrando autoridad, y hay que procurar no darles a conocer las propias debilidades. Isidora y Catalina la habían visto débil, ella debía recuperar su fuerza. Y recordó la firmeza de su madre ante Isidora, cuando la sirvienta regresó del frente del sur. Y recordó que, antes de marcharse a la capital, le había abierto el secreter del gabinete para mostrarle unos documentos. Le pidió que los guardara siempre, a no ser que Isidora y Modesto los necesitaran. Y le enseñó el cofre con la medalla de Quica, haciéndole jurar sobre la Biblia que nadie sabría de su existencia. Victoria sacó los avales que certificaban que Isidora y su marido eran afectos al régimen, le exigió a Leandro que se los mostrara a Modesto, y le puso en las manos el cofre, el secreto que hasta entonces había guardado. Catalina los oyó gritar a los dos, dejó la ropa que se disponía a tender al sol y se acercó a la puerta del gabinete.

—Y enséñale esta medalla.

—¿Por qué no lo haces tú?

—Porque estas cosas las resuelven mejor los hombres. Habla con Modesto, dile que lo traiga mañana. Y mañana mismo nos vamos.

—Ese niño no es tuyo.

—Ni ése ni ninguno, porque tú no eres capaz de dármelos.

—¿No será que tú no eres capaz de dármelos a mí?

—Me voy con mi padre, Leandro, con el niño o sin él. Pero te advierto que si me voy sola, no volveré a verte en lo que me queda de vida. Si no me lo llevo, ya te puedes buscar otro cortijo, porque te voy a dejar en la calle.

Catalina corrió a buscar a Isidora y le advirtió de que Victoria tramaba robarle a su hijo. Isidora buscó a Modesto, le dijo que se negara a llevar al niño al cortijo si el señorito se lo pedía, y él no pudo dar crédito a lo que su mujer le contó hasta que Leandro le mostró los documentos, diciéndole que aún bastaba un solo dedo para mandar a prisión a los traidores a la patria.

—¿No querrás pudrirte en la cárcel, verdad?

—Ha pasado mucho tiempo de eso.

—La traición no se olvida, Modesto. Podéis ir los dos a prisión, si os denuncia cualquiera y yo rompo estos avales. ¿Qué sería del niño entonces?

—Usted no sería capaz, señorito.

Leandro le reveló entonces que sabía que Isidora había matado a un hombre. Sacó del cofre la medalla de Quica. Se la mostró. Y le amenazó con entregar a su mu-

jer a la justicia. Añadió que el asesinato tampoco se olvida, y que Isidora podría ir al patíbulo.

—Tu mujer puede acabar en el garrote vil.

—No diga eso, señorito.

—Tráeme al niño.

Ya le he dicho que hable con don José María. Y va a hablar con él. Le va a contar lo que a mí me ha contado. Que fue al cortijo esa tarde, le va a contar. Y que vio a todos los muertos cuando no les quedaba ni una hora para conocer otro mundo. Y que hasta habló unas palabras con el señorito Leandro. Y que tuvo la escopeta en las manos. Eso me ha dicho. Y que él la cargó. Pero él no disparó. Él sólo la tuvo en las manos. Sólo quiso saber qué se sentía. Lo mismo que cuando chico. Y le he visto yo el susto en la cara. Un susto muy grande, grandísimo. Pero hoy me ha contado de dónde le viene. Y me ha pedido que yo se lo cuente al señor abogado que le han puesto.

Todo me lo ha relatado, señor comisario.

Andaba buscando un borrego que se le había extraviado, el *Botas* lo llama él, porque tiene las patas negras y es todo blanco. Estaba allí nada más que por eso. Y entró en el caserón porque lo habían dejado de par en par. Entonces vio la escopeta en un armario que tiene las puertas de cristal, tal que unos escaparates que todavía le están hediendo, porque él se acercó sólo a mirar, pero no supo resistir y cogió una escopeta. Había más, pero sólo cogió una. Luego después, la cargó, salió al patio y se encontró con el señorito Leandro. Pero él no disparó. Dejó el arma arrimadita a uno de los pilares de los arcos. Hablaron. Poco, ya sabe usted. Y cuando mi Paco se fue del cortijo, llegaron los otros que iban a morir. Él reconoció a la madre y al hermano de la señorita, que al marido no lo conocía. Con el abogado don Carlos y con la señorita Aurora iban, en un coche, todos juntos.

Se ve que le ha valido que yo le relatara lo que el hijo de la Isidora me contó la otra noche, que en cuanto yo acabé de hablar, empezó él.

Ya le he dicho que le va un perjuicio en callarse. Y que usted me ha asegurado redondamente que don José María es el único que puede ayudarle. Pero mi nieto se empeña en que habla conmigo, y sólo conmigo.

¿Y usted no puede decirle a don José María que haga como que yo soy mi nieto?

¿Y si yo se lo cuento primero, y después él tira del hilo para que mi nieto suelte lo que tiene en enredo? Capaz es que si el abogado entra sabiendo lo que ha de saber, y mi nieto sabe que lo sabe, lo cuenta otra vez.

¿Cómo va a pensar eso, hombre de Dios? ¿Cómo va a pensar nadie que esto es un juego, leche, cuando lo tienen guardado con siete cerrojos?, que los techos que tiene por cima yo no sé cuántos serán, pero las puertas que he pasado al salir las he contado, y eran siete.

Hoy ha hablado lo suyo, sí. Pero no quiere hablar más.

Me da a mí que me ha soltado el repertorio porque

quiere que yo vuelva mañana. Él no tiene por costumbre pedir. Pero yo iba a llegarme a verle aunque no me lo hubiera pedido. Mañana, pasado y al otro. Y todos los días hasta que le dejen salir.

¿Se lo llevan?

¿Cuándo?

¿Dónde se lo llevan pasado mañana?

¿Y es mejor ese sitio que éste?

Aquí me ha dicho que le tratan bien.

¿Por qué se lo llevan tan lejos?

Me gustaría ir con él.

Ya me figuro que no puede ser.

¿Lo traerán pronto de vuelta?

Entonces, iré yo hasta allí.

Está lejos.

Yo no he ido nunca. Pero sé que está lejos.

Lejos está.

CUARTA PARTE

Había paseado por las tierras que en otro tiempo consideró como propias. El abandono lo sintió en las piernas, cuando se negaron a seguir caminando. Leandro sabía que no era la edad la que le había fatigado. Eran los ojos, que no deseaban ver la desolación que se mostraba ante él. Regresó al pabellón de caza; recordó su antiguo esplendor en las tinajas de la entrada, milagrosamente repletas de plantas que nadie cuidaba; y se sentó en el porche a contemplar el cielo. Le extrañó el color de las nubes, presagiaba nieve. Pero no sería la primera vez. Mañana nevaría. Y en esta ocasión, Victoria sería testigo de un fenómeno atmosférico casi desconocido en la comarca. Nevaría. Sí. Hacía demasiado frío. Entró a buscar una manta. Volvió a sentarse y se cubrió las piernas. Leandro hubiera preferido no haber regresado a «Los Negrales», pero su esposa quiso despedirse de las tierras que habían pertenecido a su familia durante generaciones, e insistió en firmar en el notario del pueblo los documentos de venta. Pronto regresaría, con los demás. Él no quiso acompañarla al notario, se quedó en casa de sus hermanos y, después de asistir a las interminables discusiones de las solteras y de mantener una charla con Felipe, se fue caminando al cortijo.

Los ladridos de un perro se oyeron de cerca. Provenían del interior del pabellón. Se levantó, entró al patio porticado y vio cómo un hombre se ocultaba detrás de uno de los arcos.

—¿Quién anda ahí?

La mano que sujetaba al animal era deforme. Leandro dio unos pasos hacia el arco y se detuvo cuando el perro le enseñó los dientes y escuchó la voz del dueño intentando calmarlo.

—Quieto, *Pardo.*

—¿Quién es usted? Salga inmediatamente.

El hombre que asomó la cara estaba más asustado que él.

—El *Pardo* no hace mal. Y yo tampoco.

—¿Qué haces aquí?

—Se me escapó un borrego.

El nieto de Catalina salió de su escondite. Leandro no vio cómo abandonaba una escopeta apoyada en la pilastra que soportaba la arcada. Pero se fijó en su mano.

—¿Eres el nieto de Catalina?

—El mismo soy.

—¿Cómo has entrado?

—Estaba de par en par.

—¿Estaba abierto?

—Verídico, señorito.

Sí. Se había dejado la puerta abierta, cuando quiso acercarse a lo que antes era un olivar sin saber que regresaría deseando no haberlo visto. Y ahora tenía frente a sí a quien no hubiera deseado volver a ver nunca. Felipe le había hablado de él hacía tan sólo unas horas, y le había contado lo que nunca hubiera querido saber. Leandro acababa de conocer las consecuencias de una conversación que mantuvo con su hermano treinta años atrás, en la que quiso justificarse ante él por haber permitido que Victoria se llevase al hijo de Isidora y le explicó la forma que encontraron para vencer su resistencia y la de Modesto. Tendría que haber callado algunos detalles. Guardar el secreto. Pero mencionó la medalla. Y ahora sabía que fue un error. Habló de ella para no confesar que su mujer le convenció porque él se dejó convencer; para no admitir que accedió a llevarse al niño porque no quiso renunciar a ser el único administrador de las propiedades de su esposa.

Hacía tan sólo unas horas que Felipe le recordó aquella conversación. Fue durante su primer regreso al cortijo, cuando su hermano tomó posesión del marquesado de Senara tras la muerte de sus padres, víctimas los dos de un accidente de carretera. Leandro y Victoria no habían querido regresar hasta entonces. Él administraba las fincas desde la capital y el abogado de la familia se instaló en el pueblo para vigilar de cerca sus intereses y mantenerlo al tanto. Ninguno de los dos se atrevía a volver, pero mantenían el cortijo abierto para ahuyentar la sensación de huida que ambos se negaban a admitir.

Siete años después de aquella mañana de junio que les llevó a la capital con un hijo ajeno en los brazos, Felipe les notificó el accidente que les obligaría a enfrentarse al primer regreso. Su padre llevaba el volante, sufrió un colapso y estrelló el automóvil contra otro que venía de frente. Sus hermanas gemelas lloraron tanto como habían reído en su adolescencia, y las solteras pasearon su luto con dignidad y organizaron después la ceremonia de pleitesía en la casa familiar que habitaban con el reciente marqués, soltero también, donde los cuatro vivirían en perpetua desavenencia hasta la muerte.

Tras las protocolarias presentaciones de respeto al nuevo jefe de la casa de Senara, los hermanos se retiraron al despacho donde su padre solía tocar el violín. Felipe le preguntó las razones de una ausencia tan larga, y él le contestó que estaba bien donde estaba.

—No me vengas con cuentos, a ti siempre te ha gustado el campo.

No tuvo que insistir demasiado, Felipe siempre había conseguido convencer a su hermano de cualquier cosa que se propusiera. En aquella ocasión, deseaba saber más de lo que hasta entonces le había contado acerca de su marcha, tan rápida como extrañamente repentina. Leandro admitió que añoraba su vida en «Los Negrales», que la nostalgia le acompañaba desde que se marchó y que desde entonces no pensaba más que en volver. Le confesó que había amenazado a Modesto y que se había llevado a su hijo a la fuerza; que vivía con esa pesadumbre, que la llevaba arrastrada durante siete años, y que temía encontrarse con Isidora.

—Eso es una solemne tontería. Todo el mundo sabe que ese niño está mejor con vosotros. Además, Isidora no trabaja allí desde que os fuisteis. No tienes por qué encontrártela.

—Tú no lo entiendes, Felipe. También los amenacé con la muerte.

—Amenazaste con denunciarlos por rojos. Y son rojos. Pero ya no matan a nadie por eso.

Entonces fue cuando le habló del asesinato de Quica, y de la medalla que llevaba al cuello cuando la mataron. Felipe le escuchó con atención mientras se fumaba un cigarro. Mostró su sorpresa ante un secreto tan bien guardado, y le preguntó que si él lo conocía.

—Yo supe que Isidora mató a ese soldado cuando Victoria me enseñó la medalla. Hasta entonces sabía lo mismo que tú.

—¿Dónde está esa medalla?

—¿Por qué?

—Por nada, me gustaría verla.

Hacía tan sólo unas horas que comprendió que jamás debería de haberle revelado a Felipe la existencia de esa medalla. Y que tendría que haber detectado la lujuria que dejó traslucir el brillo de sus ojos cuando le pidió que se la enseñara. Pero él desconocía entonces el rencor que su hermano había acumulado contra Isidora y Catalina, alimentado día a día en el transcurso de los últimos años. Leandro hubiera preferido seguir creyendo que su carácter se agrió sólo a causa de la caída del caballo, que sólo su invalidez lo transformó en un ser virulento y ácido, incapaz de mirar de frente.

Hacía tan sólo unas horas que sabía que aquella conversación fue el primer paso hacia la venganza que tomó cuerpo en el hombre que ahora tenía delante. Al día siguiente de conocer los detalles del asesinato de Quica, Felipe fue a «Los Negrales», y se marchó del cortijo con la medalla que le había entregado Leandro, cediendo a su insistencia de la necesidad de guardarla en lugar más seguro.

—Ahora que no venís nunca por aquí, podría robarla alguien. Ese secreter se abre con mirarlo.

—Te la doy si me juras que no denunciarás a Isidora.

—Lo juro.

A cambio de su juramento, Felipe le arrancó a Leandro la promesa de que volvería a «Los Negrales» en vacaciones con sus hijos. Y Leandro regresó en el mes de junio, y pasó en el cortijo las vacaciones escolares, y todas las siguientes, hasta que su hijo Agustín murió, sin volver a acordarse de la medalla. Durante muchos años, disfrutó de nuevo con la pasión que sentía por la tierra, y le reprochó a Victoria que no la compartiera con él. Ella se negaba a volver, y accedió tan sólo en contadas ocasiones. Hacía apenas unas horas que Leandro había recordado una de ellas: el día en que el nieto de Catalina llegó a «Los Negrales» siendo apenas un niño. Victoria sintió lástima de aquel muchacho tullido que quería ser pastor, y Leandro lo contrató, sin saber aún que Felipe había cumplido sus ignominiosos deseos de revancha, y que él mismo le había dado la clave para llevar a cabo su desagravio.

La venganza que tramó el nuevo marqués no se efectuó tal y como él la había urdido. El azar mejoraría los resultados que esperaba. Los años transcurridos desde su caída habían sido suficientes para enfriar el plato. Felipe tenía en la mano la forma de servirlo. Cuando se despidió de Leandro en el cortijo, se metió la mano en el bolsillo, y se marchó acariciando la llave que le abría distintas perspectivas para el escarmiento que merecían las mujeres que le habían destrozado la vida. Sabía que Catalina ignoraba que habían violado a su madre, y él había aceptado como un hecho que no debía saberlo jamás. Revelarle aquella violación no se le había ocurrido nunca, hasta ahora. La sangre y el nombre de Quica sobre la medalla dispararon su imaginación. Podría mostrársela en primer lugar a Isidora. Sí. O reunirlas a las dos. Ver sus caras, mirándose la una a la otra mientras él les ponía delante la prueba de que Isidora mató al soldado que violó a Quica, revelando a un tiempo que Quica había sido violada y que Isidora había asesinado a un hombre. Las sirvientas no tenían por qué saber que él no faltaría a la lealtad hacia Leandro. No podía denunciar a Isidora pero la amenaza del garrote vil las haría temblar. Después de saborear sus cavilaciones, decidió visitar a Isidora. Ella sería la primera en ver aquella medalla. Se dirigía hacia su casa cuando vio caminar a una joven que no reconoció. Sus movimientos cadenciosos le recordaron a la hija de Catalina. Sí, la había visto moviendo así las caderas, en la casa azul, donde había entrado a servir para su primo. Esperó a que doblara el recodo donde acababan las chumberas y la dejó que se acercara. Al cabo de unos minutos, encontró a la hija de Catalina frente a él. Llevaba una barra de hielo al hombro, y se parecía a su madre. Y era más joven. Más dulce. Y más deseable que

Isidora. Podría vengarse de las dos al mismo tiempo, y ellas no lo sabrían nunca. La fruta sería más sabrosa si sólo la probaba él. Cuando Catalina e Isidora volvieran a mirarlo, con un desprecio que le obligaba a retirar la vista, con esa fuerza que les daba conocer el motivo que le llevaba a retirarla, él mantendría aquellas miradas saboreando el placer de que sus ojos volvieran a ser impenetrables. El plato estaba servido. Un escarnio que se le ofrecía fácil, secreto, sazonado y oportuno, caminaba a dos pasos de él.

—Deja el hielo.

—Ando con prisa, señorito.

—Vosotras siempre tenéis prisa.

Hacía tan sólo unas horas que Felipe había presumido ante Leandro de haber ejercido el derecho de pernada al tomar posesión de su título, treinta años atrás.

—Habría que mantener las buenas costumbres. Al pueblo también le gusta. No creas que ella se resistió. Comprendió rápidamente que era mejor para todos que cerrara la boca. Son ignorantes, pero saben más de lo que parece. Ella supo en seguida el peligro que corría Isidora. Y que a Catalina no le gustaría saber que a su madre la violaron antes de matarla.

Hacía tan sólo unas horas que su hermano se había ufanado de haber vencido a las dos mujeres, que la hija de Catalina murió de parto sin haber confesado quién era el padre del niño que nació tullido. Y que no lo dijo nunca porque él la amenazó con la medalla de la Virgen de Guadalupe, aún manchada de sangre reseca y con el nombre de Quica grabado.

—¿Has encontrado el borrego?

—Aquí no está.

—¿Y qué quieres ahora?

—Nada.

—Entonces, puedes irte, ¿no?

—Sí.

—Pues vete.

—Vamos *Pardo*.

El nieto de Catalina se alejó del pabellón por el sendero de tierra. Leandro le siguió. Él volvía la cabeza a cada paso para mirarle de reojo. Al llegar a la puerta del garaje, se apartó a un lado del camino y se detuvo a mirar un coche que se acercaba. Leandro no apartaba la vista de él, pero el nieto de Catalina ya no le miraba, acarició a su perro mientras observaba a los que llegaban del notario.

El abogado de la familia conducía el vehículo. Victoria y sus dos hijos ocupaban el asiento trasero y su yerno viajaba junto al conductor. Regresaban satisfechos. Todos, excepto Aurora, que hubiera preferido acompañar a su padre en su paseo y no ser testigo de aquella venta. Desde el interior del automóvil, vieron detenerse al nieto de Catalina, que los miraba sujetando a su perro.

—¿Has visto qué hombre tan raro, Aurora?

—Es el nieto de Nina, mamá.

—¿Aún vive Nina?

—No, mamá, hace dos meses que murió.

—Me lo dices como si tuviera obligación de saberlo.

—Lo mismo que me he enterado yo, podrías haberte enterado tú.

—¿Y cómo te has enterado tú?

—Pues llamando a Lorenzo, mira qué cosa más fácil. Coges el teléfono, le preguntas cómo está, y él te cuenta de paso cómo están todos los demás.

—¡Qué cosas se te ocurren!, llamar yo a un criado. ¿Está muy viejo Lorenzo?

—Claro que está viejo, mamá.

A Victoria le contrariaba discutir con su hija, no acababa de acostumbrarse a que Aurora empleara siempre con ella un tono de reproche. El tono que comenzó a usar el día que cumplió los quince años, poco antes de que el hijo de Isidora desapareciera de sus vidas para siempre, poco antes de que Lorenzo se despidiese sin ninguna razón, y volviera al pueblo. Hasta entonces, Aurora se había conformado con las medias respuestas que obtenía, para las preguntas que no se cansaba de formular. Le intrigaba saber por qué el hijo de Isidora vivía con ellos. Sus padres contestaban siempre con evasivas, y cuando la niña iba al cortijo en vacaciones, y le preguntaba a Catalina, Catalina le respondía de la misma forma. Aurora regresaba de sus veraneos en «Los Negrales» cargada de nuevas preguntas.

—¿Por qué tú nunca vienes con nosotros, mamá?

—El campo me sienta mal, hija.

—¿Y por qué no puede venir el hijo de Isidora?

—No querrás que me quede solita, ¿verdad?

Antes de que diera comienzo la fiesta del cumpleaños de Aurora, en una de las pocas ocasiones en las que Victoria consintió en volver al cortijo, vio a su hija salir de su habitación con una carta en la mano. Aurora se acercó ella y le dijo que no se lo perdonaría nunca; que no podía entender cómo había sido capaz de decirle a un hijo que su madre lo había vendido, ni cómo ella tuvo corazón para comprarlo. Y le preguntó qué precio había pagado por él. Pero aquella vez, no esperó a que su madre le diera sus medias respuestas.

—¿Qué has hecho, mamá? ¿Qué has hecho?

—¿De quién es esa carta?

—¿Por qué no dejas a la gente que viva en paz? ¿Por qué te crees que tienes derecho a manejar la vida de los demás? ¿Por qué?

—Aurora, no te consiento que me hables así.

Aurora echó a correr, y se refugió en el comedor de la casa central. Allí encontró a doña Ida contemplando tras la ventana las tierras que ya no eran suyas, la alameda que se extendía hasta perderse de su vista. La anciana intentó consolarla. Aurora le mostró la carta.

—No volverá, tía Ida. Nunca volverá.

—Aurora, hijita, tienes que aprender a perder. Todos perdemos algo.

Compadecía a su sobrina nieta, al joven que había escrito aquella carta, y a la madre que se había visto obligada a vender algo más que un puñado de tierra. Hacía mucho tiempo que no veía a Isidora. Creía recordar que la última vez que se vieron fue al acabar la guerra, porque todos reían, y estaban muy contentos, y ella cantó un cuplé. O quizá no había acabado aún. Quizá fue cuando su hermana Carmen consiguió un salvoconducto para Federico. Sí. Era ella la que estaba muy contenta, y abrazó a Isidora. Después la empujó hacia ese mismo comedor, donde se encontraba en aquel momento con su sobrina nieta. Isidora había recibido también una buena noticia. No, no fue en el comedor. Fue en el gabinete, y aún no había acabado la guerra, aunque esa noche, en el patio del pabellón, ella hubiera cantado un cuplé.

—Y también tienes que aprender a que nadie te pase por agua tus fiestas, Aurora. Vuelve allí, sigue cantando, y que nadie sepa que has llorado.

Cuando Aurora se calmó, doña Ida la acompañó al porche del pabellón, donde sus amigas coreaban las canciones que su tío ciego cantaba. Al regresar hacia la casa central, doña Ida vio cómo Victoria le daba la espalda a Isidora y la dejaba mirando a un lado y a otro como si buscase a alguien.

—Cuánto tiempo sin verte, Isidora, ¿cómo estás?

—¿Ha visto a mi hijo?

Le costaba creer que Isidora hubiera entregado a su hijo a cambio de algo. Se preguntaba qué argucias le habrían servido a su sobrina Victoria para convencerla de que lo daba a buen precio.

—¿Ha visto a mi hijo, señorita Ida?

—No lo he visto. Y no vendrá.

Ante la puerta principal, las dos mujeres permanecieron hablando un largo rato, mientras Victoria las observaba, atisbando tras las rejas de la ventana del comedor, ocultándose con las cortinas. Sería la última vez que doña Ida pudiera hablar con Isidora. Unos años después, Aurora le contó que no hacía un mes que había muerto, ni dos meses que lo había hecho Modesto.

—Mi madre ordenó derrumbar su casa, tía Ida. Dijo

que afeaba la entrada a «Los Negrales», y que tapaba el cruce.

Se lo contó al regresar del cementerio del convento, donde acababan de enterrar a Agustín. El hijo de Victoria se había estrellado en un accidente de motocicleta cuando intentaba ganar una carrera contra su hermano. Aurora se lamentaba ante su tía, intentando encontrar una explicación para una muerte absurda.

—Supongo que Agustín se confió. Antes siempre paraba ahí, porque la casa tapaba el cruce. Si la casa hubiera estado en pie, Agustín no se habría matado.

Del brazo de su sobrina, doña Ida reflexionaba sobre las ironías que cumplía el azar, mientras caminaba despacio hacia el comedor, poco antes de que la familia se congregara allí; poco antes de que la desesperación buscara un culpable entre los que llegaron, para una muerte que ninguno de ellos era capaz de aceptar. Leandro culpó a Julián por haber retado a su hermano.

—Nos has quitado la vida.

Y Victoria culpó a Leandro, por su insistencia en pasar las vacaciones en el cortijo, en aquellas tierras que ella había llegado a aborrecer.

—Tú los obligaste a venir. Tú los obligaste.

Las voces se avivaron, doña Ida no encontró fuerzas para pedir calma. Pensó en alejar a Aurora de la crueldad de aquella discusión, y le rogó que la acompañase a su dormitorio cuando sintió que los reproches pasaban de unos a otros como palabras en llamas.

El silencio obstinado los acompañó en su viaje al día siguiente del entierro de Agustín. Doña Ida se marchó por la mañana, y el resto de la familia lo hizo por la tarde, después de que Victoria convocara a la servidumbre para comunicarles que el cortijo se cerraba. En el mismo momento en que Aurora se acomodó en el automóvil, supo que el dolor que su padre se llevaba con él no era únicamente por la muerte de su hijo. Le observó mirar los viñedos, los olivares, los campos crecidos de espigas. Y sintió su mismo dolor. Porque ella le había acompañado siempre en sus paseos. Había jugado con él a esconderse en los trigales que la cubrían por entero cuando era una niña. Y en las eras, donde su padre le permitía subir a los carros que transportaban el trigo y encaramarse a las montañas de grano recién trillado, para resbalar después hasta sus brazos. Le había acompañado en las cacerías, se había apostado con él de madrugada, había pasado frío con él, y habían disparado juntos. Aurora no era como sus hermanos, que se negaban a acompañarlo al campo cuando él se ofrecía a llevarlos, y le exigieron que construyera una piscina y una pista de tenis, porque no querían renunciar a las diversiones a las que estaban acostumbrados en la capital. Julián y Agustín crecieron ignorando la pasión por la tierra que sentía su padre, y el dolor que le acompañaba siempre que se marchaba.

A raíz del accidente, la familia dejó de pasar las vacaciones en «Los Negrales». A Leandro no le abandonó nunca el deseo de regresar, a pesar de la tragedia. Y Aurora fue la única que lo supo; y la única que le acompañó en su nostalgia a lo largo de los años en que se negó a ese deseo.

—Papá, no puedo creer que no quieras volver a «Los Negrales». Hace ya mucho tiempo que murió Agustín. ¿Es por mamá?

—Tu madre no soporta siquiera hablar del tema. Ya ha sufrido bastante.

—Si ella no lo soporta, que no vaya, pero ¿y tú?

—Yo no quiero hacerla sufrir más.

—Nunca ha sufrido porque tú te vayas, papá.

—No seas tan dura, hija. Nos estamos haciendo mayores los dos, y a tu madre le gusta cada día menos quedarse sola.

—Eso no es justo.

—Algún día iré. Y tú vendrás conmigo, no te enfades.

Y ese indeterminado algún día llegó, cuando su salud comenzó a resentirse tras sufrir un ataque de gota, debido a la medicación que tomaba desde que padeció una crisis cardíaca. El médico le recomendó tranquilidad y reposo absoluto. Él creyó que iba a morir, y quiso marcharse a «Los Negrales». Y Aurora acompañó a su padre, pero no para morir. Su hija observó que la estancia en el cortijo le hizo recuperar energías y, al cabo de dos meses, le acompañó a pasear por los olivares.

Y a su regreso a la capital, asistió impotente a su tristeza, cuando hubo de renunciar a la administración de las fincas tras el litigio que perdió contra su hijo Julián.

No hacía un año que Aurora se había casado. Su marido había congeniado con su hermano casi en el mismo momento en que fueron presentados, e intimaron de inmediato. Su amistad crecía con el paso del tiempo, y los domingos, cuando el matrimonio iba a comer a casa de los padres de Aurora, los cuñados se retiraban al despacho de Julián y pasaban las horas hablando de negocios. Únicamente su madre se sumaba en alguna ocasión a aquellas interminables conversaciones. Se sentaba con ellos, mientras padre e hija aprovechaban que los habían dejado solos para saborear la añoranza de «Los Negrales», pues en presencia de Victoria y de Julián no podían dar rienda suelta a los recuerdos sin escuchar las lamentaciones del hijo y de la madre.

—Siempre estáis hablando de lo mismo.

Cuando a Leandro le sobrevino el ataque de gota, Aurora se ofreció a ir con él al cortijo. Y fue su hermano quien los animó, ante la extrañeza de ambos, sin que ninguno de los dos pudiera suponer que Julián comenzaba una batalla contra su padre.

—Es una buena ocasión para que estéis en «Los Negrales» durante unos meses. A los dos os gusta el campo, y es una estupidez mantener la finca si nunca vamos ninguno. Yo cuidaré de Manuel, Aurora, por tu marido no tienes que preocuparte.

Las palabras solidarias de Julián no le hicieron sospechar a Aurora que su hermano aprovecharía la ausencia de su padre para actuar con manos libres. Y a su regreso, aprovechó la debilidad del enfermo para presentarle un proyecto de ayuda para las fincas que destruyeran los cultivos. Un proyecto que había elaborado Manuel. Para ello, era necesario dar instrucciones a Carlos, el abogado de la familia, conseguir que su madre firmara unos poderes, y que su padre apoyara la iniciativa, o fuera relegado de sus funciones.

—Estamos perdiendo mucho dinero, papá. El campo ya no es lo que era, y tú estás cansado.

—¿El abogado ha visto esto?

—Sí, y mamá está de acuerdo.

A partir de entonces, Leandro se limitó a observar cómo su hijo se hacía cargo de las propiedades de Victoria. Y desdeñando sus protestas, y las de Aurora, solicitó las subvenciones para arrancar los olivos. Y los arrancaron, sin que Julián sintiera que algo se le quebraba por dentro, como a él, como a Aurora.

—Acabarás perdiendo las tierras de tu madre.

—Perdiéndolas, no, papá. Pero vete acostumbrando a la idea de que lo mejor sería venderlas.

—No consentiré que hagas esa barbaridad.

—Cuando llegue el momento, lo discutiremos.

La muerte de su tía Amalia, la duquesa viuda de Augusta, le daría a Julián la oportunidad que esperaba. El duque ciego recibió de su madre una herencia millonaria, y quiso comprar «Los Negrales» como regalo de bodas para su hija. Leandro protestó airadamente ante la posibilidad de plantearse siquiera la oferta. Nada más pudo hacer. Julián convenció a su madre de que las fincas ya no eran rentables. Y hasta el último momento rebatió las protestas de su padre, su pleno rechazo a aceptar que la venta fuera una oportunidad única para invertir el capital en nuevos negocios.

—Él sabe lo que compra, y tú no sabes lo que vendes.

—Él compra porque no sabe qué hacer con el dinero, papá.

Sin asumir la derrota, Leandro acudió por última vez

al cortijo con toda la familia. Pero no quiso ser testigo de cómo perdían las tierras que Victoria se disponía a vender.

Al bajar del automóvil donde regresaban del notario, Aurora fue la única en advertir la cólera reprimida de su padre. Conocía los verdaderos motivos que le habían llevado a negarse a presenciar la venta. Él había argumentado que su mujer ya no necesitaba su consentimiento para disponer de sus propiedades, y que aprovecharía para ver a su hermano Felipe. Pero sus excusas no convencieron a Aurora, a ella no podía ocultarle la auténtica razón de su negativa. La venta de aquellas tierras suponía para su hermano Julián un nuevo triunfo que a su padre le dolía admitir. Él había negado las ventajas de aceptar la oferta, al igual que negó en su tiempo las de arrancar los olivos, pero no pudo hacer nada ante la decisión de su esposa, como no pudo impedir que recibieran las subvenciones. Julián había vencido. Y viajó a «Los Negrales» empuñando su triunfo como una arma que blandía lleno de orgullo.

Aurora le ofreció el brazo a su padre, le acompañó al comedor de la casa central y le ayudó a sentarse a la mesa.

—Hija, no seas pesada, que yo puedo solo.

Julián llegó tras ellos del brazo de su madre. Se sentó frente a él, con el contrato de compraventa en las manos. Mientras, Leandro calentaba las suyas sobre las piernas, bajo la misma manta con la que se había cubierto en el porche. Guardó silencio, manteniendo oculta su irritación ante su hijo, que había regresado del notario con una expresión de euforia que le hirió en lo hondo. Y su labio inferior comenzó a temblar.

Julián no le miraba, pero sentía los ojos de su padre, su desprecio. Y quiso aliviar la asfixia que le provocaba su ira contenida hablando con su madre. Pero el mutismo de su padre presidía la mesa, llevando cualquier intento de conversación hacia el silencio. Fue el marido de Aurora el que provocó que padre e hijo se gritaran. Intentó resolver la situación, mencionando la necesidad de contratar a un nuevo abogado en la capital, un especialista en asuntos financieros.

—¿Y ya le habéis dicho a Carlos que le vais a dar la patada en el culo, lo mismo que hicisteis conmigo?

—Nadie te ha dado una patada, papá. Recibes la renta más alta que has conseguido en tu vida.

—Dinero. Dinero. De eso es de lo único que sabes hablar.

La tensión que destilaban las palabras que padre e hijo se cruzaban no disminuyó con la intervención de Aurora; ni con las réplicas que Victoria buscó para seguirla en su intento.

—Va a nevar. ¿Te acuerdas de la foto que te mandamos, mamá?

—Sí, claro que me acuerdo.

—Por fin vas a ver nieve en tu tierra.

—¿Estás segura de que va a nevar?

—Sí, va a nevar.

El labio inferior de Leandro seguía temblando. Aurora se apretó las manos bajo la mesa. Nunca había visto a su padre así, a un paso de perder el control, mirando a unos y a otros con los ojos desorbitados, e intentando detener con la lengua la saliva que escapaba por la comisura de su boca.

—¿Verdad que va a nevar, papá?

—Sí, hija. Va a nevar. Pero tu madre no va a ver nieve en su tierra. Tu madre ya no tiene tierra.

Las mujeres guardaron silencio. El marido de Aurora dejó la botella que tenía en la mano, abandonó la idea de abrirla y le ofreció un cigarro a Julián. Leandro miró a su yerno con el mismo desdén que utilizó al hablarle.

—¿Ya no queréis brindar por el éxito de esta magnífica operación, Manuel?

—Ya está bien, papá. Cierra la boca de una puñetera vez.

La intempestiva respuesta de Julián sorprendió a Leandro. Hubiera querido responderle con severidad, exigirle respeto, pero sus palabras sonaron débiles, apagadas bajo el sonido del puño cerrado que descargó sobre la mesa.

—¿Cómo te atreves?

Julián no supo qué decir. Deseó escapar de la mirada de su padre, huir, alejarse del cortijo en ese mismo instante. Pero debía esperar a Carlos, el abogado que dejaría de representar a la familia esa misma noche y que había ido al pabellón de caza a comprobar un error que creía haber cometido en el inventario. Julián mantuvo los ojos fijos en su padre, y cruzó los brazos apretando los dientes.

Cuando Carlos llegó al comedor, llevaba una escopeta en la mano, pero sólo Leandro le prestó atención.

—¡Vaya! Con él no lo vais a tener fácil. Viene dispuesto a defenderse.

Su labio inferior seguía temblando. La ira contenida le subió a las mejillas. Enrojeció. La salivación que se le escapaba era ya espesa, y destacó su color blanco en la boca que no cesaba de temblar. Julián le miró, contagiándose del fuego de su mirada.

—La he encontrado en el patio, apoyada en un arco.

Padre e hijo se levantaron, sin escuchar las palabras de Carlos, enfrentándose el uno al otro.

—Siéntate, papá. Siéntate.

—Siéntame tú.

Victoria sintió la inquina con la que se retaban, se apoyó en el brazo de su yerno y éste la ayudó a levantarse.

—Tranquilízate, Leandro.

—Te va a dar una congestión.

Julián se acercó a su madre y a su cuñado, ninguno de los tres vio cómo Carlos levantó el arma para dejarla sobre la mesa. Antes de que llegara a soltarla, Leandro se la arrebató bruscamente de las manos.

—Sois los tres iguales.

Julián seguía retando a su padre con la mirada. Victoria y Manuel permanecían de pie junto a él. Y antes de que el abogado llegara a comprender qué pasaba, escuchó un disparo. Y luego otro, y otro.

Las manos temblorosas de Aurora sujetaron el arma, su padre se la había puesto en las manos pidiéndole que la usara contra él. Y la boca de la escopeta volvió a tronar.

¿Cómo dice usted? ¿Tan grave estaba? Madre mía de mi alma. Qué Dios lo acoja. De ahí que era verdad que regresaba para morir, y que era su muerte la que le vi en los ojos. Pero ¿quién iba a figurarse que la traía tan hecha?

En el páncreas. Dicen que ése es muy traicionero, que acaba con todo antes casi de entrar en uno, y más siendo joven como era el hijo de la Isidora.

¿Pero qué me está diciendo, señor comisario?

No me entra a mí en las entendederas que la capital sea tan grande para que nadie lo haya visto, rediós. ¿La gente de allí no tiene ojos? Es de suponer que si un hombre está tumbado en un banco es que algo le pasa, carajo, que para dormir están los colchones.

Qué lástima más grande, señor, terminar de esa manera. Si su santa madre lo ha llegado a ver desde arriba, por fuerza ha perdido la paz por un rato largo.

¿Para mí?

¿Está usted seguro, señor comisario?

Sí, señor, desde mi nacimiento, y para servirle, Antonio Angulo Ramos me llaman.

¿Y en el sobre pone todo eso? ¿Señor don Antonio Angulo Ramos? ¿Y el nombre de mi calle, y el número de mi casa?

Carajo.

Y si es mía, ¿por qué viene abierta?

¿Así había de ser? Pues a mí me hubiera gustado abrir la única carta que me han escrito en mi vida.

La única, sí, señor, con lo que yo hubiera dado por escuchar al Zacarías voceando mi nombre siquiera una vez.

¿Y el juez se la ha leído a usted?

A mí se me antoja un poco raro que teniendo sello y todo no la echara al correo, ¿a usted no?

Que el cielo nos valga, y no consienta que en nuestra última hora no tengamos un minuto siquiera para hacer nuestra voluntad. Pobrecino, quedarse tumbado en un banco, tirado y solo, a dos pasos de un buzón con una carta en la mano.

Dios se lo pague, señor comisario, pero si no le es mucha molestia, y ya que ha venido a traérmela, ¿me la podría usted leer a mí?

Tenía que habérmelo figurado, que ése era su propósito.

Le escucho.

Perdone, si no es abusar, ¿puede ir más despacio? Usted la va leyendo despacino despacino, y yo la voy repitiendo. Y tenga la bondad de pararme si me equivoco.

Para aprenderme todas las palabras, que no sé yo si alguien podrá leérmela otra vez.

«Queridísimo señor Antonio. Me alegrará que a la

llegada de ésta se encuentre bien. Yo quedo bien gracias a Dios.» ¿No me ha dicho usted que la escribió ayer mismo?

Pues que si no he entendido mal, ayer fue cuando se tumbó en un banco de la calle y se quedó muerto.

Recontra con la fórmula de cortesía. Usted me perdonará que le haya cortado. Siga, si me hace el favor. Y tenga en mente lo que le he dicho.

Que lea despacino, y me pare usted si me confundo en alguna palabra. Si no repito una por una, conforme usted las va leyendo, me lo dice sin ningún reparo, que las quiero todas en la memoria correctamente.

«La presente es para decirle que escribo ésta porque es de justicia que usted sepa lo que pasó la otra noche, que le debo un favor por acogerme en su casa y no sé cómo pagárselo. Y quiero que sepa que yo no he matado a nadie, señor Antonio. Y que hubiera sido mejor quedarme en el jergón que me ofreció. Mejor hubiera sido, para no ver lo que vieron mis ojos en el cortijo.»

Siga, señor comisario, siga.

¿Ya me he confundido?

¿En «Los Negrales» ha escrito él?

Espere entonces, que lo repito. «Mejor hubiera sido, para no ver lo que vieron mis ojos en "Los Negrales".» Siga, por caridad.

«Yo había ido allí porque quería recordar la cara de mi madre, que no la recuerdo. Y en mi casa sólo vi las chumberas, ni una piedra de mi casa hay en pie. Me fui por la alameda para arriba, por ver si en el cortijo quedaba algo de ella. La puerta principal estaba abierta. Y entré. Desde el pasillo escuché tres tiros de escopeta. Ojalá hubiera tenido miedo, señor Antonio. A Aurora la vi la primera, la reconocí en seguida, a pesar de que la última vez que nos vimos fue cuando se marchó a "Los Negrales" para celebrar la fiesta de sus quince años. Se la veía tan guapa como entonces, aunque la desesperación asomaba a sus ojos. Su madre estaba muerta. Y su marido. Y su hermano. Los tres muertos. Y ella tenía una escopeta en la mano, y le gritaba a su padre que se había vuelto loco. Y como loco eran los ojos con los que él la miraba. Ese hombre tenía los ojos de loco. Y el labio de abajo se le movía como si no lo pudiera parar. Mátame, hija. Mátame. Le decía. Aurora no estaba en sí. Un hombre que yo no conocía le dijo que soltara la escopeta, que se le podía disparar, y antes de que hubiera acabado de decirlo, se disparó. Y el padre de Aurora cayó muerto. Ellos se quedaron pasmados, lo mismo que yo. Y Aurora cayó desmayada. Y el hombre que no conocía le quitó la escopeta. Y yo se la quité a él, porque no sabía cuándo iban a acabar los tiros. Pero yo no he matado a nadie, señor Antonio. Yo sólo vi cómo Aurora mató a su padre. Y se cayó desmayada después.» Ahí lo tiene, señor comisario. Mi nieto no fue.

Claro que quiero que siga, faltaría más.

«El hombre que yo no conocía me dijo que soltara la escopeta, que él no había matado a ninguno, que no le tuviese miedo. Y me preguntó que quién era yo y que si quería ayudar a Aurora. Yo le dije mi nombre, y le contesté que sí, que quería ayudarla, que la conocía desde que nació. Y entonces me pidió que escondiera la escopeta en el chamizo de arriba, el que usan los pastores en verano, que él se encargaba de todo lo demás.»

¿Y sacarán a mi nieto con eso?

¿Usted cree? Sabía yo que no todos los ojos lloran el mismo día. Le dije yo que ése era un liante, se lo dije, señor comisario. Y ya ve que andaba en lo cierto. Ese abogado supo en seguida cómo liarnos a todos debajo de la manta, y arropar a la señorita Aurora quedándola fuera. Y para evitarle la cárcel a ella, apañó que el hijo de la Isidora señalara a mi nieto sin saberlo. Ya lo tiene usted. El picapleitos ése mentó a mi Paco cuando le preguntaron. Después se fue a por el *Pardo*, lo dejó en las narices de los guardiñas que estaban rebuscando en el cortijo, y el perro los llevó hasta la escopeta, y hasta las ropas manchadas de sangre. Lo que no me explico yo es cómo se las habrá apañado ese sinvergüenza para que estuvieran las ropas de mi Paco en el chamizo de arriba, cuando él las deja siempre en el de abajo; y cómo habrá conseguido llevar al perro al cortijo, y cuándo. De fijo que cuando el *Pardo* se quedó solo, sin su amo, cuando el abogado señaló a mi nieto y lo apresaron nada más y únicamente porque él lo había visto en el camino esa noche.

¿Cuenta algo más en la carta?

«Decirle, señor Antonio, que cuando yo fui a su casa la otra noche por segunda vez, llevaba la intención de contárselo, pero no me atreví. Cuando lo tuve delante me dio por pensar que era mejor no meterle a usted en un asunto tan malo. Y por eso le pedí únicamente que me dejase lavarme, porque no encontré una excusa mejor para explicarle el porqué volví para su casa.» Pobrecino, y se fue con esa angustia en lo hondo.

«Y decirle que no desmienta usted a nadie cuando digan que yo los maté. Que a mí no podrán encerrarme. Que a mí no habrán de llevarme más que a la tumba. Pero quiero que usted sepa que yo no maté a nadie. Y que lo tenga presente cuando lo oiga decir, señor Antonio. Yo no maté a nadie. Y sólo me queda despedirme de usted. Y pedirle que tenga en su recuerdo a éste, su amigo que lo es. Y que Dios le conserve la salud.»

¿Y ésta es la firma del hijo de la Isidora?

Caminaba despacio, mirando al suelo. Posando un pie tras otro con sumo cuidado arrastraba su torpeza ayudándose de su bastón para no resbalar en la nieve que aún quedaba en la acera. La figura de don Antonio se alejaba del umbral de su casa para visitar a su nieto antes de que se lo llevaran del cuartelillo. El comisario le había prometido que iría a buscarlo, pero se retrasaba, y la impaciencia por llegar a tiempo le indicó que no debía esperarlo más. Se extrañaba de que no hubiera acudido a su cita. Y dudó de haberle entendido bien. Pensó que quizá le había dicho que lo recogería en el cuartelillo. Se lo dijo después de haberle leído la carta, la tarde del día anterior, y después de explicarle que debía seguir investigando. Le había dicho también que era muy posible que el abogado y Aurora confesaran lo que ocurrió realmente en el cortijo cuando supieran que el hijo de Isidora lo había contado todo. Y que entonces su nieto recobraría la libertad. Las cosas de palacio andan despacio, le advirtió. Y él había comprendido que su nieto dormiría bajo llave también esa noche. Y quizá muchas noches más.

Don Antonio maldecía su suerte. Golpeaba sin cesar la punta de su bastón contra la acera. Imaginaba que el comisario no había acudido a su cita por no atreverse a decirle que la carta no servía como prueba de la inocencia de su nieto, sin saber que mientras él caminaba hacia el cuartelillo, el comisario se encontraba leyendo la carta en la casa del marqués de Senara. Aurora la escuchaba en silencio, a diferencia de su abogado, que pensó rápidamente que la mejor defensa es un buen ataque e interrumpía a cada instante la lectura.

Ningún argumento escapó a la sagacidad del abogado, que exigió un perito calígrafo y cuestionó la imparcialidad del testigo por su relación con la familia asesinada. Y añadió que aquella artimaña se trataba de una astuta venganza.

Durante las interrupciones de la lectura, el abogado observaba las reacciones de Aurora. Su actitud la delataba, miraba alternativamente a cada uno de los presentes sin poder ocultar su desconcierto, y cuando sus ojos se posaban en los del comisario, retiraba de inmediato la mirada.

Don Antonio sorteaba los restos de nieve con dificultad. Deseaba ir aprisa, pero debía ir despacio. Movía su desesperación con la cabeza y golpeaba el suelo con la punta de goma de su tranca. Cruzó la calle desconfiando de sus piernas, se llevó la mano a la boina, y se rascó pensando en la carta del hijo de Isidora, preguntándose si el comisario sería capaz de lograr que su nieto pudiera dormir algún día mirando al cielo. Alzó los ojos buscando una respuesta, y habló en voz alta.

—Meloncina, tú que tienes a Dios a mano, podrías preguntarle por qué hace las cosas tan malamente.

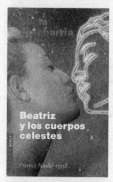

Beatriz y los cuerpos celestes
Lucía Etxebarria

Premio Nadal 1998.
Tres mujeres: Cat, lesbiana convencida;
Mónica, devorahombres compulsiva,
y Beatriz, que considera que el amor no
tiene género. Tres momentos de la vida de
una mujer y dos ciudades, Edimburgo y
Madrid, para una novela única sobre el
amor a los amigos, a la familia y a los
amantes.

El alquimista impaciente
Lorenzo Silva

Una novela de corte policíaco y gran
calidad literaria, que es mucho más que
un relato de intriga, y en la que descubrir
a la víctima es casi más importante que
descubrir a su asesino. Con ella, Lorenzo
Silva se proclamó ganador del Premio
Nadal 2000.

Melocotones helados
Espido Freire

Premio Planeta 1999, esta novela cuenta
la historia de Elsa, una joven pintora que
se ve obligada a abandonar su casa ante
unas amenazas de muerte de las que
desconoce la razón, y marcharse a otra
ciudad a vivir con su abuelo.

Chulas y famosas
Terenci Moix

Una novela insolente
y divertida hasta el delirio por la que se
pasean millonarias infames, *top models*
sospechosas, aristócratas piradas
y famosos de trapillo. La novela que esta
España merece.

El hombre de mi vida
Manuel Vázquez Montalbán

A pocos meses del final del milenio, el
detective Carvalho vive una historia de
amor, sectas, espionaje y muerte. Última
entrega de la serie Carvalho, con todos los
ingredientes que los lectores esperan
encontrar: barrio chino, Charo, Biscuter
y atmósfera decadente, entre otros.

La mujer de agua
Carmen Rigalt

En esta novela Carmen Rigalt reconstruye
de forma magistral el mundo de
entreguerras, desde la Cataluña rural hasta
el microcosmos americano por el que
desfila un mosaico de personajes
fascinantes, testigos todos ellos de una
historia de amor cuajada de silencios
y deseos insatisfechos que se convierten
en una obsesión.

Delictes d'amor
Maria Mercè Roca

Premi Ramon Llull 2000. A en Narcís li agraden les nenes, les adora, faria el que fos per tenir-les als seus braços. Però la societat veu amb mals ulls el que per a ell és un acte d'amor, una atracció per la bellesa. Amb aquesta magnífica novel·la, Maria Mercè Roca ens ofereix un punt de vista agosarat sobre un tema d'actualitat punyent.

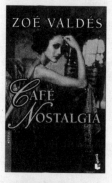

Café Nostalgia
Zoé Valdés

Zoé Valdés, Finalista del Premio Planeta 1996 con *Te di la vida entera*, nos sorprende de nuevo con su soberbio dominio del lenguaje en esta inolvidable novela cuya protagonista, Marcela, es una triunfadora pero también una prisionera de sus recuerdos que guardan el silencio de un crimen.

Los renglones torcidos de Dios
Torcuato Luca de Tena

Alice Gould es ingresada en un sanatorio mental. La extrema inteligencia de esta mujer y su actitud aparentemente normal confundirán a los médicos hasta el punto de no saber si fue ingresada injustamente o en realidad padece un grave y peligroso trastorno psicológico.

El perfume. Historia de un asesino
Patrick Süskind

Jean Baptiste Grenouille es el mejor elaborador de perfumes de todos los tiempos. Para conseguir el favor de las damas y el dominio de los poderosos elabora un raro perfume que subyuga la voluntad de quien lo huele. La esencia elemental de la mágica fragancia proviene de los fluidos corporales de jovencitas vírgenes y para conseguirla el perfumista no dudará en convertirse en un cruel y despiadado asesino.

Donde el corazón te lleve
Susanna Tamaro

Olga, a las puertas de la muerte, explica a su nieta la manera de conseguir que cada camino que tomemos en la vida esté guiado por nuestro corazón, y que cada traspiés que suframos pueda mitigarse luchando con valentía contra el azar.

Nosotras que no somos como las demás
Lucía Etxebarria

A través de la historia de cuatro mujeres solas, esta novela plasma una mirada disidente sobre los roles tradicionales femeninos: el papel sexual femenino, las relaciones entre mujeres, la supuesta guerra de sexos y la reivindicación de la propia identidad en una sociedad empeñada en negársela, no sólo a las mujeres, sino a todos los individuos con sentimientos.